Dokumente der Berner Reformation

Dokumente der Berner Reformation

BERNER SYNODUS

mit den
Schlussreden der Berner Disputation
und dem
Reformationsmandat

Verlag Paul Haupt Bern

ISBN 3-258-02727-7

Druck Paul Haupt Bern

Zum Gedenkjahr «450 Jahre Berner Reformation» hat die Synode der Evangelisch-reformierten Landeskirche des Kantons Bern beschlossen, drei Texte neu herauszugeben, die neben ihrem historischen auch besondern aktuellen Wert haben. Es sind dies die zehn Schlussreden der Berner Disputation, das Reformationsmandat und – von besonderem Gewicht – der Berner Synodus. Das Entgegenkommen von Professor Henri Meylan in Lausanne und des Synodalrates der Evangelisch-reformierten Kirche des Kantons Waadt erlaubt uns, die 1936 anlässlich der 400-Jahr-Feier der Reformation in der Waadt von diesem Gelehrten verfasste Einführung zum Berner Synodus mit zu veröffentlichen. Diese Einführung sowie die drei Texte sind für die vorliegende Neuausgabe von Markus Bieler, Pfarrer an der Stephanuskirche Spiegel bei Bern, übersetzt worden. Für seine vortreffliche Arbeit gilt ihm unser herzlicher Dank.

Man wird sich erinnern, dass die erste Schlussrede der Berner Disputation von den Vätern der deutschen bekennenden Kirche in der «Erklärung von Düsseldorf» – wahrscheinlich unter dem Einfluss von Karl Barth – übernommen worden ist. Das zeigt, wie historische Texte zu einer angefochtenen Kirche in ihrer Krisensituation neu reden können und so ihr Interesse wecken.

Neuere Forschungen haben den versöhnenden Einfluss des Synodus in seiner Zeitgeschichte nachgewiesen. Gewiss enthält er auch ein paar für die Römisch-katholische Kirche beleidigende Sätze, die wir so nicht unterschreiben könnten. Sie wollen in ihrem historischen Zusammenhang gesehen sein. Der Katholizismus von damals ist nicht der des II. Vatikanischen Konzils. Anderseits hat das Kapitel über die Taufe den

Anliegen der Täufer grösstmögliches Entgegenkommen gezeigt. Und das Kapitel über den Gehorsam gegenüber der Obrigkeit lehnt zwar jede staatsfeindliche, anarchistische Tendenz ab, aber betont den unbedingten Vorrang des Gehorsams, den wir Christus schulden.

Heute, wo das Verhältnis der Kirche zum Staat lebhaft diskutiert wird, muss das vorliegende Gespräch mit der christlichen Obrigkeit besonders interessieren. Es erstaunt nicht wenig, dass im Schlusssatz der Vorrede zum Berner Synodus vom 14. Januar 1532 ausgerechnet die Räte von Bern ihre Prediger ermahnen, sich neuen Reformationen nicht zu verschliessen. Das zeigt, dass nicht nur die Verfasser des Synodus, sondern auch die Vertreter der Obrigkeit sich durch den neuen Geist bewegen liessen.

In der heutigen Praxis des Pfarramtes ist ständig zu sehen, wie gegenwartsbezogen diese Ermahnungen des Synodus sind, sich für rechte Erneuerungen offenzuhalten. Aber Synoden bestehen nicht mehr ausschliesslich aus «Predigern»: Es wäre gut, wenn in den Gemeinden, Bezirken und in der Kirchensynode Laien und Pfarrer gemeinsam darüber nachdenken würden, was die Vergangenheit der Berner Reformation für aktuelle Anstösse zu gegenwärtiger Erneuerung der Kirche in sich birgt.

J. de Roulet
Präsident des Synodalrates der Evangelisch-reformierten
Kirche des Kantons Bern

Die zehn Schlussreden

17. November 1527

Über diese nachstehenden Schlussreden wollen wir, Franz Kolb und Berchtold Haller, beide Prädikanten in Bern, zusammen mit andern, die das Evangelium bekennen, einem jeden mit Gott aus heiliger biblischer Schrift Red und Antwort stehen auf der angesetzten Tagung in Bern, Sonntag nach Circumcisionis, im Jahre 1528:

1.

Die heilige Christliche Kirche hat zum alleinigen Haupt Christus und ist aus dem Wort Gottes geboren, in welchem sie bleibt, ohne auf die Stimme eines Fremden zu hören.

2.

Die Kirche Christi macht nicht Gesetze und Gebote ohne Gottes Wort. Darum sind all die Menschensatzungen, die unter dem Namen «Gebote der Kirche» gehen, für uns nur soweit verbindlich, als sie im göttlichen Wort begründet und geboten sind.

3.

Christus ist unsre alleinige Weisheit, Gerechtigkeit, Erlösung und Bezahlung für die Sünden aller Welt. Ein anderes Verdienen der Seligkeit und Genugtun für die Sünden bekennen, heisst darum, Christus verleugnen.

4.

Dass im Brot der Danksagung der Leib und das Blut Christi als ebendas, als Leib und Blut, empfangen werde, lässt sich mit biblischer Schrift nicht beweisen.

5.

Die Messe, wie sie zur Zeit Brauch ist und in welcher Christus Gott dem Vater für die Sünden der Lebendigen und Toten aufgeopfert sein will, ist schriftwidrig, etwas, das das allerheiligste Opfer – das Leiden und Sterben Christi – lästert, und wegen dieser Missbräuche vor Gott ein Greuel.

6.

Wie einzig Christus für uns gestorben ist, soll einzig er als Mittler und Fürsprech zwischen Gott dem Vater und uns Gläubigen angerufen werden. Darum wird alles Anrufen anderer ausserzeitlicher Mittler und Fürsprecher von uns als des Schriftgrundes entbehrend verworfen.

7.

In der Schrift findet sich kein Fegfeuer nach dieser Zeit. Darum ist aller Totendienst – Vigilie, Seelenmesse, Seelgerät, Siebenter, Dreissigster, Jahrzeit, Ampeln, Kerzen und dergleichen – sinnlos.

8.

Bildermachen zum Zweck der Verehrung verstösst gegen Gottes Wort Neuen und Alten Testaments. Darum sind sie, wenn mit ihrer Ausstellung das Risiko verbunden ist, dass ihnen Verehrung bezeigt wird, zu beseitigen.

9.

Die Schrift bringt für keinen Stand das Verbot der heiligen Ehe, wohl aber für jeden Stand das Gebot, Hurerei und Unkeuschheit zu meiden.

10.

Ein öffentlicher Hurer befindet sich nach der Schrift im wirklichen Bann. Infolgedessen schadet wegen des Ärgernisses, das sie erregt, Unkeuschheit und Hurerei keinem Stand mehr als dem priesterlichen.

Alles Gott und seinem
heiligen Wort zu Ehren.

Das Reformationsmandat

7. Februar 1528

Allgemeine Reformation und Verbesserung der verwendeten herkömmlichen Gottesdienste und Zeremonien, die nach und nach durch menschliches Gutdünken neben dem Wort Gottes eingepflanzt und durch den Haufen des Papsttums dreist gehandhabt, aber jetzt aus Gottes Gnade und der Belehrung durch sein heiliges Wort ausgerottet worden sind durch den Schultheissen, den Kleinen und den Grossen Rat der Stadt Bern im Üechtland, welche denn beschlossen und das Mandat erlassen haben, in ihren Städten, Landen und Gebieten habe man sich fürderhin an diese Reformation zu halten.

Gnade und Friede von Gott dem Vater
und unsrem Herrn Jesus Christus.
Amen.

Wir, der Schultheiss, der Rat und die Zweihundert der Burger – genannt der Grosse Rat – in Bern, richten folgende Bekanntmachung an all unsre lieben, getreuen Burger, Untertanen, Hintersassen, an die, die unsrer Verwaltung unterstehen und zugehören, an alle samt und sonders, die in unsern Städten, Dörfern, Landen und Gebieten wohnhaft und ansässig sind, an Geistliche und Weltliche, niemand ausgenommen, auch an all ihre Nachkommen.

Bekanntlich gehört es sich für die Obrigkeit, die wir sind, dass wir euch von Gott uns anbefohlene Unsern nicht nur in allen weltlichen Sachen zu aller Billigkeit weisen, sondern euch auch (soweit Gott Gnade gibt) zu rechtschaffenem Christenglauben anleiten und euch ein ehrbares Vorbild vortragen. Und ohne Zweifel seid ihr euch dessen wohl bewusst, wieviel Arbeit wir uns das haben kosten lassen: wie mancherlei Verordnung und Mandat wir diesbezüglich, uns und euch zu guter Instruktion, beschlossen und aufgerichtet haben in der Hoffnung, es sollte alles wohl gefruchtet haben. Doch entgegen unsern Vorstellungen hat all das bisher zu nichts geführt. Am Ende sind wir mit uns zu Rate gegangen, haben einer passenden Möglichkeit und Form nachgedacht, wie wir auf den wahren, festen Grund göttlicher Wahrheit zu stehen kommen, in christlicher Liebe zunehmen und beharren sowie rechtschaffenen Gottesdienst anrichten könnten. Das hat sich nun gar nicht anders machen lassen als durch das Abhalten einer Disputation, die mit Hilfe und Gnade des Allmächtigen in den jüngstvergangenen Tagen zu gutem Ende gelangt ist (Gott sei Lob). Wie diese aber ausgeschrieben worden und nachher vor sich gegangen ist, kann jedermann ganz genau aus den im Druck ausgegangenen Akten erfahren, gleichwie er aus vorliegender Schrift ersieht, worüber wir auf ihr beraten haben.

1. Erstens bekennen wir, dass wir, was die zehn Schlussreden betrifft, uns genügend davon haben überzeugen lassen, dass diese christlich, in der göttlichen Schrift begründet und damit stichhaltig sind. Weil dem so ist, sehen wir uns

veranlasst, ihre Verwirklichung an die Hand zu nehmen und ihnen ohne Umschweife nachzuleben – wobei wir hiermit in christlicher Absicht genauso auch euch ermahnen und gebieten, ihr sollet es in dieser Sache samt und sonders gleich wie wir halten, euch da nicht von uns distanzieren. Denn glaubt uns, wenn wir nicht sicher wären, dass die vermeintlichen Gottesdienste und Zeremonien, wie sie bis anhin Brauch waren, nicht in der Heiligen Schrift gründen, wir ferner uns nicht zutrauen würden, dass wir unser Vorhaben und Beschliessen mit gutem Recht vor Gott und der Welt verantworten dürfen, hätten wir die gegenwärtige Erneuerung nicht vorgenommen (das bezeugen wir vor Gott).

Allen Pfarrern und Predigern, die den Unsern zu Stadt und Land vorgesetzt sind, gebieten wir drum bei Verlust ihrer Pfründen, dass sie in keiner Weise gegen die besagten zehn Schlussreden und ihren Inhalt weder predigen noch lehren, vielmehr sich befleissigen, das Wort Gottes treulich unters Volk zu säen und das Volk im Leben nach dem Wort Gottes zu unterweisen.

2. Zum zweiten: Die vier Bischöfe und ihre Gelehrten, die wir zu unserer Disputation schriftlich und mündlich eingeladen haben, sind trotz unsrer Warnung doch nicht erschienen. Dazu passt, dass sie die Schäflein nur geschoren, nicht aber im Sinn der Lehre Gottes geweidet haben – nein, im Irrtum stecken, ungetröstet und verwaist gelassen haben sie sie. Diese und derlei gerechte Gründe mehr haben uns bewogen, ihr beschwerliches Joch von unsern und euren Schultern abzuwerfen und so ihr eigennütziges Gewerbe abzustellen. Und infolgedessen wollen wir nicht, dass ihr oder eure Nachkommen ihnen oder ihren Nachkommen

13

weiter gehorsam sein sollt. Ihr Gebot und Verbot (wohlverstanden: geistlicher Sachen wegen) sollt ihr nicht annehmen, wie zum Beispiel Chrisam, Ehehändel, Bann und andere Lastauflegung wie Consolation, Penalien, Gebete, Absolution, Inducien, Erstlingsfrüchte, genannt Primizen, Fiskalschulden und andere bischöfliche Statute, Mandate, Satzungen, Schatzungen und Auflagen: All dieser Lasten sollen wir, ihr, unsre und eure Nachkommen ledig sein. Denn kein Zweifel: Hätten die Bischöfe sich zugetraut, diese Auflagen wie auch andere aus den verwendeten Gottesdiensten stammende Bräuche auf unserer Disputation mit dem Wort Gottes zu erhärten, so wären sie nie und nimmer ferngeblieben.

Doch wollen wir das Gesagte nicht dahin verstehen, dass ihnen in Sachen weltlicher Obrigkeit – auch der Bündnisse – von uns oder euch irgendwelcher Eintrag oder Abbruch getan werden solle.

3. Drittens sollen alle Dekane und Kämmerer, die den Bischöfen geschworen haben, dieser Eide ledig sein und einzig uns schwören.

Es sollen aber in den Kapiteln diejenigen Dekane, die gegen die evangelische Lehre sind, ausgewechselt und an ihrer Stelle gläubige, gottesfürchtige Männer in dieses Amt gewählt werden, die gewissenhaft darüber wachen, dass die Pfarrer und Prädikanten getreulich das Wort Gottes lehren, danach leben und dem einfachen Volk ein gutes Beispiel vortragen. Sie werden die Pfarrer und Prädikanten, wenn diese irren, mit ihrem Lebenswandel Ärgernis erregen oder das Wort Gottes nicht treulich predigen würden, vor versammeltem Kapitel zurechtweisen, über ihren Irrtum aufklären und, sollten sie sich nicht bessern wollen, dann uns anzeigen, damit wir euch mit andern – tauglichen – Pfarrern versehen.

Wir wollen auch, dass kein Priester gezwungen wird, in Kapitel zu gehen, die ausserhalb unserer Gebiete liegen, sondern sie sollen zu den Kapiteln gehören, die in unseren Landen gelegen sind, nämlich jeder in das ihm nächstgelegene. Und wenn nicht genug Kapitel wären, soll ihre Zahl vermehrt werden.

4. Weiter gibt es etliche gemischte Pfarreien und Kirchhörinen, so dass die Kollaturen und Besetzungen derselben nicht unsere oder der Unsern Sache sind, die Kirche aber in unserem Gebiet gelegen ist. Anderseits haben auch wir Kirchensätze ausserhalb unserer Gebiete, zu deren Pfarrei welche von den Unsern gehören – wie auch welche von den Unsern in Kirchgängen befangen sind, wo die Kirchen nicht auf unsrem Territorium gelegen und auch der Kirchensatz nicht unsere oder der Unsern Sache ist. Ferner gibt es welche, die nicht unsre Untertanen sind, aber Pfarrecht und Kirchhöri auf unsrem Territorium haben. Etc.

Aus dieser Vermischung könnte inskünftig allerlei Missverständnis und Spannung entspringen. In der Absicht, dem zuvorzukommen, geben wir dahinlautende Auskunft und Erklärung, dass ihr, die Unsern, wohin immer ihr kirchlich gehört, allen unsern Mandaten, Geboten und Verboten, die wir in Glaubens- oder weltlichen Sachen ausgehen lassen und euch zustellen werden, gehorsam sein und nachleben sollt, wie ihr's ja schuldig seid. Ihr sollt auf keinen Fall Gebote anderer Kirchen oder fremder Herrschaft, wenn sie zu den unsern im Widerspruch stehen, annehmen noch ihnen, soweit sie euch berühren, stattgeben, sondern sie ganz und gar ausser acht lassen. Denn umgekehrt wollen auch wir niemanden, der zwar kirchlich bei uns zugehörig, aber nicht von den Unsern ist oder in unsern Verpflichtungsbereich fällt, zwingen, sich des Glaubens wegen nach uns zu richten, sondern es ihnen anheimgestellt sein lassen, zu glauben, was nach ihrem Sinn ist und was sie vor Gott zu verantworten wagen. Denn wir für unser Teil tun nichts als das, was im Rahmen aller Billigkeit ist, und wollen auch euch an billigem Gehorsam nichts zumuten, als was ihr gut ertragen könnt und nach dem Wort Gottes zu tun schuldig seid.

So weit wollen wir dabei aber nicht gehen, dass wir uns dieser Sache wegen von unsern getreuen, lieben Eidgenossen, Bundesgenossen und Mitburgern in weltlichen Sachen absondern; vielmehr wollen wir die Bündnisse und Verwandtschaften in jeder Richtung getreulich (wie es frommen Leuten zusteht) halten, in der Hoffnung und unzweifelhaften Zuversicht, dass ihr als biedere Untertanen uns, wie ihr's auch schuldig seid, bei unserem Raten und Taten decken, schützen und schirmen werdet.

5. Fünftens haben wir als von Gottes Wort Belehrte in unserer Stadt Bern die Messe und die Bilder hintan- und abgesetzt, im Willen, sie nie wieder aufzurichten, es wäre denn, wir würden mit der göttlichen Schrift eines Bessern belehrt und uns würde bewiesen, dass wir geirrt haben. Da sind wir ohne Sorge, wo ja doch die Messe der Ehre Gottes Abbruch tut und dem ewigen Opfer Christi Jesu zur Lästerung gereicht, und die Götzenbilder bis dahin wider alle Schrift Neuen und Alten Testaments ausgestellt worden sind unter dem Risiko, verehrt zu werden, und den einfältigen Christen verführt und von Gott dem Schöpfer und Erhalter aller Welt auf die Schöpfung verwiesen haben.

Nun wir aber sehr wohl wissen, dass welche von den Unsern – einzelne Kirchen oder Personen – aus Mangel an evangelischer Lehre oder aus bösem Willen noch schwach sind und daher vor diesen Neuerungen stutzen und zurückschrecken, wollen wir keine Eile an den Tag legen, sie zu drängen und zu erziehen, wir wollen vielmehr mit ihnen Mitleid haben und sollen gemeinhin Gott bitten, er möge ihnen Verständnis für sein heiliges Wort geben. Solche Kirchhörinen wollen wir weder unsanft noch vorschnell anfassen, sondern einer jeden jezumal ihren freien Willen lassen, die Messe und die Bilder mit beratenerer Hand abzutun.

Daneben gebieten wir euch im allgemeinen und besonderen bei schwerer Strafe, dass keine Partei die andere weder mit Worten noch mit Taten schmähe, verspotte, lästere, beleidige, sondern eine die andere christlich toleriere. Euch werden wir mit der Zeit – und eben besonders wegen der Schwachen im Glauben – Pfarrer verordnen und zustellen, die euch mit dem Wort Gottes erbauen und aufpflanzen und dann Anleitung zu gemeinsamem Leben nach dem Willen Gottes geben werden.

6. Folgt nun aus dem Gesagten, dass die Sakramente und andern Ordnungen einer jeden Versammlung und Kirche von jetzt an anders gestaltet werden muss als bis jetzt – etwa das Begehen des Abendmahls Christi Jesu, die Taufe, die Bestattung, der Eheschluss, der Bann, das Versehen der Kranken etc. –, so werden wir euren Pfarrern über all das schriftlichen Bericht zugehen lassen und uns laufend befleissigen, mit Gott all das abzutun, was zu seinem göttlichen Willen im Widerspruch stehen könnte und christlicher Liebe nachteilig ist. Anderseits werden wir mit Gottes Hilfe

alles aufrichten, was einem ehrbaren Regiment und einem ehrsamen christlichen Volk vor Gott und den Menschen recht und wohl ansteht.

7. Da auch die Messen, Jahrzeiten, Vigilien, Seelgeräte, die sogenannte Siebenzeit und andere Stiftungen in Wegfall kommen, aber gerade ihnen viel Zinsen, Zehnten, Renten, Gülten, liegende Stücke und anderes Hab und Gut zugewendet worden und zugekommen sind, wollen wir nicht gestatten, dass jemand, wer er auch sei, solche den Klöstern, Stiften, Pfarreien und andern Kirchen vergabten und vermachten Güter diesen entziehe und sie irgendwie sich aneigne oder zuleite. Es soll vielmehr alles wie von altersher ausgerichtet und bezahlt werden, damit die, die in solchen Klöstern verpfründet und bestallt sind, dann, wenn sie darin bleiben wollen, auf Lebzeiten versehen seien und so im Frieden absterben mögen. Nach ihrem Abgang aber werden wir tun und vornehmen, was die Billigkeit erfordert. Nicht, dass wir diese Güter in unsern Nutzen ziehen wollen. Sondern nachdem sie ja sogenannte «Gottesgaben» sind, wollen wir sie so sinngemäss aussetzen und zuteilen, dass wir hoffen dürfen, damit vor Gott und der Welt Recht und Billigung zu bekommen.

Sollten aber Einzelpersonen, die noch bei Lebzeiten etwas für sich selbst durch Gott an die Klöster, Stifte und Kirchen freiwillig vergabt haben, ihnen das wieder wegnehmen wollen, so lassen wir's geschehen und ihrem Gewissen anheimgestellt sein. Selbstverständlich ist da nicht mit inbegriffen, was die Verstorbenen vergabt und vermacht haben: Das soll ihnen niemand wegnehmen.

Aber in Fällen von durch Einzelpersonen oder Geschlechter unlängst oder vor langem fundierten und gestifteten Privatkaplaneien und andern Pfründen, die nicht Pfarreien sind, wollen wir den Stiftern und auch ihren Freunden nicht davor sein, dass sie mit diesen Kaplaneien und Pfründen sowie mit deren Gülten, Gütern und Widem nach ihrem Gutdünken verfahren. Gleiche Meinung betrifft die von den Gesellschaften gestifteten Kaplaneien und Altäre. Was aber andere Leute an diese vergabt haben, das soll vergabt bleiben.

Weiter haben wir, was die den Klöstern und Stiften angegliederten Pfarreien betrifft, angeordnet, dass die Vögte dieser Klöster und Stifte zusammen mit den Kirchmeiern dieser Pfarreien genau ermitteln, was einer jeden Pfarrpfrund Corpus und Widem betrage, und es uns dann zur Kenntnis bringen, damit die Pfarrer und Prädikanten bedürfnisgemäss versehen werden und ihr ehrliches Auskommen haben.

Wir wollen auch nicht gestatten, dass Einzelpersonen, sogenannte «Lehnsherren» der Pfarrpfründen, irgendwelche Befugnis haben, die Pfründen zu verkleinern oder das, was zu diesen Pfarrpfründen gehört, an sich zu ziehen: damit es nicht dazu kommt, dass den Pfarrern etwas mangelt oder abgeht.

8. Hinsichtlich der gewöhnlichen Bruderschaften und Jahrzeiten zu Stadt und Land haben wir beschlossen, dass die Brüder sich zusammentun, mit jedermann eine Rechnung aufmachen, und zwar die Rechnungen genau aufzeichnen und sie uns vorlegen sollen, vorab die Brüder hier in der Stadt Bern. Genau gleich soll man auch auf dem Land vorgehen. Und was so allgemein an sie vergabt worden ist, soll vergabt bleiben, ihnen nicht entzogen werden. Wir werden mit der Zeit mit den Brüdern zusammensitzen und in dieser Sitzung Schritte unternehmen, die recht und angemessen sind zur

Förderung des Gemeinwohls und zum Unterhalt der Armen. Aber mit speziellen Bruderschaften und Jahrzeiten der Gesellschaften und Stuben mögen die Brüder nach ihrem Gutdünken handeln; wie auch, falls einige, die solchen gewöhnlichen Bruderschaften und Jahrzeiten etwas vergabt haben, noch am Leben sein sollten, diese das wieder behändigen oder dort belassen mögen.

9. Damit Ärgernis vermieden bleibe, haben wir beschlossen, dass es mit allen Messgewändern, Kirchenzierden, Kleidern, Kelchen und dergleichen einstweilen beim alten bleiben soll bis auf weitern Bescheid unsrerseits. Aber die Gesellschaften und Stuben sowie Einzelpersonen, die besondere Altäre und Kapellen haben, mögen mit den von ihnen oder ihren Vorfahren gespendeten Messgewändern, Kleidern, Zierden, Kelchen etc. nach ihrem Gutdünken verfahren. Was aber andere Leute etwa gespendet haben, das sollen sie nicht verrücken. Etc. Wir wollen auch, dass alles, was dieser Dinge wegen zu Spannungen führen könnte, niemanden zu irgendwelchen unbesonnenen Handlungen verleite, sondern dass man in jedem Fall unsern Entscheid abwarte. Wie es frommen Oberen zusteht, wollen wir in diesen Dingen geflissentlich und treulich mit Gott vorgehen.

10. Hat die Ehe der Pfaffen geraume Zeit unter Verbot gestanden, ist aber der Ehestand von Gott eingesetzt und niemandem verboten worden, so verbieten wir allen, die den Namen «Geistliche» tragen, bei Verlust ihrer Pfründen die Hurerei und verbinden mit diesem Verbot die Forderung, dass die in die Ehe getretenen Pfarrer oder Prädikanten zusammen mit ihren Frauen und Kindern so schicklich und ehrbar leben, wie es Hirten und Vätern des Volks geziemt,

und wie es der heilige Paulus vorgeschrieben hat. Denn sollte dem einer zuwiderhandeln und korrekte Untersuchung die Zuwiderhandlung bestätigen, so würden wir den absetzen oder je nach Verschulden und Sachlage bestrafen. Wir wollen auch nicht dulden, dass die, die neu in die Ehe treten, bei ihren Kirchgängen üppige Fressereien oder Tanzereien veranstalten.

11. Da das Verbieten der Speisen Menschensatzung ist, lassen wir euch euren freien Willen, diese abzusetzen und Fleisch und alle andern Speisen jederzeit mit Danksagung zu essen und zu geniessen. Doch geschehe dies im Sinn der Lehre des Paulus ohne Ärgernis für euren Nächsten und die Schwachen, vorab auf den Stuben und in den Wirtshäusern, wo am meisten Leute zusammenkommen. An diesen Orten sollt ihr, um Ärgernis zu verhüten, an verbotenen Tagen Fleisch meiden. Es sollen auch die Wirte die Gäste – ob fremd oder einheimisch – an verbotenen Tagen nicht zwingen, Fleisch zu essen. Und wie wir früher die, die an verbotenen Tagen Fleisch oder Eier gegessen haben, mit zehn Pfund gebüsst haben, so wollen wir von jetzt an alle die, die sich überfüllen und mehr zu sich nehmen, als ihre Natur ertragen kann, und genau gleich die, die nach neun Uhr abends beim Schlaftrunk sind, sowie die, die zutrinken und sich übersaufen, sooft sie sich das zuschulden kommen lassen, mit zehn Pfund büssen, sie aber dabei, je nach Art der einem jeden zur Last zu legenden Sache, auch schwererer Strafe vorbehalten.

12. Auch haben wir mit Bezug auf die einheimischen Mönche und Nonnen vereinbart und beschlossen, dass die, die in den Klöstern bleiben und ihr Leben dort beschliessen

wollen, das sollen tun dürfen. Doch soll man in die Klöster keine Jungmönche oder Nönnlein mehr aufnehmen und auch keine Fremden mehr eintreten lassen. Denen aber, die sich verheiraten oder sonst austreten, wollen wir ihr zugebrachtes Gut herausgeben, und sollte das nicht so viel sein, dass die, die sich verheiratet haben, damit das Anfangskapital für einen Haushalt beisammen haben, so wollen wir ihnen je nach Sachlage und ihren persönlichen Verhältnissen, und je nach Vermögen des jeweiligen Gotteshauses, aus dessen Gütern zu Hilfe kommen. Und alle, die aus den Klöstern austreten, sollen, gleichviel, ob sie heiraten oder nicht, die Kutte abtun und sonstwie anständige Kleidung anlegen.

13. Was die Chorherren und andern Kaplane zu Stadt und Land, denen wir Pfründen geliehen haben, betrifft, so werden wir zu gegebener Zeit, auf ihren Antrag hin, der Billigkeit nachdenken und mit ihnen eine Regelung treffen.

Auch wollen wir, dass alle Pfarrer in unsern Landen und Gebieten an Stelle der Messen allwöchentlich das ganze Jahr hindurch immer am Sonntag, Montag, Mittwoch und Freitag das Gotteswort verkündigen, bei Verlust ihrer Pfründen. Sollten aber aus Gründen der Arbeitsüberlastung, besonders zur Sommerszeit, die Kirchgenossen nicht zur Predigt gehen können, dann soll es an ihnen sein, den Pfarrer zu einem Stillstand zu bewegen.

Schliesslich haben wir uns auch wiederholt – und so jetzt wieder – herbeigelassen und anerboten, wir würden, wenn wir wegen dieser Sache anders belehrt und des Irrtums überführt werden sollten, solche göttliche Belehrung geneigten Gemüts bereitwillig annehmen. Damit haben wir uns vorbehalten, an dieser unserer Verordnung mit Gottes Hilfe und Gnade, und unterrichtet von seinem heiligen Wort, Streichungen oder Erweiterungen vorzunehmen. Etc.

Geschehen Freitag, den 7. Februar, Anno 1528.

BERNER SYNODUS

Einleitung zur französischen Fassung von 1936

Der «Berner Synodus», dieser pastoraltheologische Traktat, ist die Frucht einer grossen Versammlung aller bernischen Pfarrer und Prediger, die kurz nach dem Zweiten Kappeler Krieg, im Januar 1532, zusammenkamen. Aber der Autor dieser prachtvollen Schrift, die neben dem «Religionsgespräch» (1528) und dem «Heidelberger Katechismus» (1563) zu einem der Bekenntnisbücher der Berner Kirche werden sollte, ist kein Angehöriger der Berner Kirche. Es verdient hier festgehalten zu werden, dass der Mann, der den Bernern in einem heiklen Moment zu Hilfe gekommen ist und den Text des «Synodus» verfasst hat, ausgerechnet Capito von Strassburg war, der grösste Individualist und Spiritualist unter den Reformatoren des 16. Jahrhunderts.

Vergegenwärtigen wir uns kurz den zeitgeschichtlichen Rahmen. Der Zweite Kappeler Krieg hatte für das Schicksal der Reformation in der Schweiz entscheidende Bedeutung: Die Schlacht, in der Ulrich Zwingli und zahlreiche Zürcher Magistraten fielen, der Waffengang, den sie nach sich zog,* ja, noch die Friedensverhandlungen offenbarten die Schwäche und Gespaltenheit der protestantischen Städte gegenüber den

---

* Am Gubel (Anmerkung des Übersetzers).

katholischen Kantonen. Dieser Rückschlag warf seine trüben Wellen bis in die Westschweiz, wo Bern seit einigen Jahren erfolgreich seine politische Expansion und religiöse Propaganda betrieb: Man glaubte, jetzt sei es um Berns Macht und damit auch ums «lutherische» Gedankengut, dessen Fackelträger Farel war, geschehen. Am schlimmsten jedoch waren die Auswirkungen in Bern selber. Währenddem die heimlichen Anhänger der Messe Hoffnung schöpften und den Kopf wieder erhoben, waren die Evangelischen unter sich zerspalten. Und die Haltung eines ihrer Führer, des Predigers Caspar Megander, war nicht dazu angetan, die Geister zu beschwichtigen. Dieser entschiedene Zwingli-Jünger, selber ein Zürcher, war tatsächlich nicht davor zurückgeschreckt, von der Münsterkanzel herab die unsichere Politik der Räte, vor und nach Kappel, anzuprangern. Er bezichtigte sie des Verrats an Zürich und schob die Verantwortung für die Katastrophe zum grossen Teil ihnen in die Schuhe. Das passte, wie man sich denken kann, den Politikern der Stadt, die nicht der Meinung waren, dass der Prediger auf diesem Gebiet zu intervenieren habe, wenig in den Kram, und noch weniger den Offizieren im Feld, die zusahen, wie ihre Truppen demoralisiert wurden und sich auflösten.

Die Soldaten ihrerseits nahmen kein Blatt vor den Mund und beschuldigten die Geistlichen, sie hätten den Krieg gewollt. Einer von vielen drückte es so aus: «Die Pfaffen sind daran schuld, dass wir diesen unseligen Krieg hatten.» Am 20. November 1531 bekam das Konsistorium den Auftrag, bei Meister Caspar darauf hinzuwirken, dass er es aufgebe, den Aufruhr zu predigen, und sich damit begnüge, als Verkündiger des Gottesworts dem Frieden das Wort zu reden. Vergebliche Mühe. Zwei Wochen später musste der Rat eine radikalere Massnahme ergreifen: Megander würde zwar mit seinen Bibelkursen fortfahren, aber bis auf weiteres zu predigen aufhören – bis zur Pfarrersynode. Die Angelegenheit ging indessen über den Rahmen des Einzelfalls weit hinaus, stand doch nun überhaupt die Freiheit der Verkündigung auf dem Spiel. Man hatte, wie Berchtold Haller später sagte, Grund zur Befürchtung, dass die Regierung, die den Zürcher Prediger mit Bann belegte, damit die zum Propheten gehörende Freiheit des Wortes unterdrücke.

Während man in der Stadt so diskutierte, war das Bernerland von Unruhe erfüllt. Es hatte die 1528 von den Burgern der Stadt und ihren Räten verfügte Reformation mehr über sich ergehen lassen als angenommen. Das Oberland hatte sich sogar gegen die Herren zu Bern, die bei gleichzeitiger Abschaffung der Messe am Zehnten durchaus festhielten, erhoben, und man hatte es mit Waffengewalt in die Schranken weisen müssen. Kein Wunder, dass im Augenblick, wo die reformierte Bündnispolitik eine erste schwere Niederlage erlitt, die Landvogteien ihre Unzufriedenheit bekundeten. Anfang Dezember 1531 wurden die Abgeordneten der Untertanen, 120 an Zahl, in Bern mit «Artikeln» vorstellig. Diese Beschwerden betreffen den Krieg und die für ihn Verantwortlichen, die Steuern, die Soldzahlung an Genf, das Respektieren der Gewohnheitsrechte und Freiheiten usw., und es ist allerhand, zu sehen, wie dabei die Prediger wegkommen: Ihnen wird vorgeworfen, sie hätten zum Krieg getrieben, führten nichts als Schmähungen im Munde und mischten in die Predigt des Gottesworts in hohem Mass ihr eigenes Ich. Man verlangt, dass die Landesfremden ausgewiesen werden. Man schlägt ihren Ausschluss aus dem Konsistorium vor. Dieses solle sich nur aus Ratsmitgliedern und nicht aus Geistlichen zusammensetzen, «denn», heisst es in den Artikeln, «wir wollen nicht von den Priestern und Predigern angeführt werden». Der Rat von Bern begegnete diesen Forderungen mit einer zugleich massvollen und festen Antwort, die den Untertanen imponierte («Kappeler Brief»). Diese hatten übrigens von vornherein erklärt, sie seien willens, dem heiligen Wort Gottes treu zu bleiben und sich an die Reformationsmandate zu halten. Was die Prediger anging, so bekundete der Rat seine Absicht, sie zur Synode zu versammeln, um sie an ihre Pflicht zu erinnern. Man werde ihnen einschärfen, sie hätten sich beleidigender Worte und kriegerischer Äusserungen zu enthalten, hätten sich auf das Wort Gottes zu konzentrieren und diesem zum Kampf gegen die Laster und zum Reformieren des Lebens geeignete Stellen zu entnehmen und hätten, endlich, nur zu predigen, was sich durch die Heilige Schrift belegen lasse.

In welchem Ausmass waren die gegen die Prediger erhobenen Klagen berechtigt? Die Antwort ist nicht so einfach. Vergessen wir nicht, dass der Klerus der Berner Kirche grösstenteils aus den vorreformatorischen Pfarrern und Vikaren bestand. Von ungefähr 250 hatten ihrer mehr als 200 die Schlussfolgerungen des Religionsgesprächs unterschrieben. Sie, die bisher nur die Messe zelebriert hatten, mussten jetzt das Evangelium predigen, sogar wöchentlich mehrmals. Sie waren darauf nicht vorbereitet und entbehrten zudem weitgehend der Autorität bei ihren Gemeindegliedern. Die ersten Synoden und Dekanatsversammlungen («Kapitel»), die 1530 unter dem Vorsitz der Dekane stattfanden, machen deutlich, wie schwierig die Lage war. Dazu kam noch, dass die Täufer trotz den gegen sie ergriffenen Massnahmen mit ihrer heimlichen Propaganda fortfuhren. Erbarmungslos legten sie die Verfehlungen der Pfarrer und Magistraten bloss und denunzierten das neue «Papsttum» der Herren zu Bern. Um all dem Abhilfe zu schaffen und die Angelegenheit Megander ins reine zu bringen, bot der Rat von Bern wie versprochen all seine Pfarrer und Prediger zu einer grossen Synode im Januar auf.

«Mitten im Sturmwetter» traf an einem der letzten Tage des Jahres 1531 bei Berchtold Haller unerwartet ein Gast ein, den er zunächst gar nicht erkannte: sein Freund Capito. Capito kam nicht in offizieller Mission. Unlängst war ihm die Frau gestorben. Oekolampads Tod, sechs Wochen nach Zwinglis Fall, hatte ihn vollends umgeworfen. Sein Kollege Bucer, der ihn in Gedanken bereits mit Oekolampads Witwe wiederverheiratete, hatte ihn in die Schweiz geschickt, um ihn seiner Schwermut zu entreissen, und vielleicht auch, um ihn dem Einfluss eines bei ihm einquartierten jungen spanischen Gelehrten, der kein anderes als Michael Servet war, zu entziehen. Das also war der Mann, der die Seele des Berner Synodus werden und die schwere Aufgabe der Wiederherstellung der Kirche zum guten Ende führen sollte.

Auf Hallers Drängen bat der Rat den Strassburger Reformator, bis zur auf den 9. Januar einberufenen Synode in Bern zu bleiben. Unverzüglich machte sich Capito an die Arbeit. In ein paar wenigen Tagen hatte er die Artikel – die Diskussionsgrundlage für die vereinigten Prediger – zu Papier gebracht. Der vorgängig den bürgerlichen Behörden vorgelegte Entwurf erhielt deren Zustimmung. Am Dienstag, 9. Januar, wurde die Versammlung eröffnet; sie zählte 220 Prediger und um die zehn Ratsmitglieder. Nicht ohne Besorgnis sah man dem Ausgang der Beratungen entgegen. Es fehlte nicht an Opposition – Meganders Gegner hatten geschworen, ihn zu vernichten. Doch die Rede Capitos, der die Tagesordnung vorzulegen und die Angelegenheit Megander vorzutragen hatte, machte auf alle tiefen Eindruck. «Gott öffnete», wie Haller es so schön ausdrückt, «zugleich mit Capitos Mund auch die Herzen der Anwesenden.» Am Mittwochvormittag verhandelte man das Kapitel von der Lehre: wie man Christus predigen solle. Am Nachmittag, währenddem in Gegenwart von Mitgliedern der beiden Räte die Zensur der Pfarrer (Prüfung ihrer Lehre und ihres Wandels) vor sich ging, tagte mit Capito eine Kommission von Abgeordneten der acht Dekanate, um die nächstfolgenden Artikel festzulegen. Der Donnerstag wurde von der Synode, der sich der Kleine Rat in corpore beigesellt hatte, der Frage der Zurechtweisung und ihrer Grenzen gewidmet und der Beziehung zwischen Pfarrern und Magistraten, also der Freiheit der Predigt. Auch diesmal war es Capito, der das, worum es ging, vortrug und mit ebensoviel Fingerspitzengefühl wie Überzeugung darlegte. Den Freitag nahm eine hart auf hart geführte Debatte vor dem Rat der 200 in Anspruch, wo Megander aufgefordert wurde, zu seinen Äusserungen eine Erklärung abzugeben. *Einen* Sieg hatte Capito bereits davongetragen: Er hatte es erreicht, dass die Sache vom Rat überhaupt angehört wurde. Noch einmal musste er seine ganze Autorität aufbieten und dringendes Bitten zu Hilfe nehmen, um die Herren von Bern und ihren Prediger auszusöhnen. Endlich, nach einer langen Sitzung, hatte er es geschafft. Das Prinzip der Freiheit des Worts blieb gewahrt. Der Rat machte das Angebot, inskünftig möchten die Prediger, wenn es sie dünke, er habe gegen das Gotteswort verstossen, ihm ihre Vorhaltungen machen kommen; sollte er sich ihnen verschliessen, würden die Prediger wissen, was sie zu tun hätten.

So hatte Capito die ihm gestellte Aufgabe zum guten Ende geführt. Sein Schlusswort an der Synode war eine letzte Ermahnung an die Kirche und die Brüder. Allen, die dabei waren, traten im Zuhören die Tränen in die Augen. Haller sollte ihm im Namen aller seine Dankbarkeit aussprechen: die

Bewegung schnürte ihm den Hals zu. Am Sonntag endlich verabschiedete sich Capito von den Behörden der Stadt. Noch einmal kam er da auf die Belange der Kirche und der Prediger zu sprechen. Dem Rat wiederum war es ein Anliegen, ein offizielles Dankeszeichen zu tun, indem er Capito eine Geldsumme anbot, 20 Golddukaten, die übrigens ausgeschlagen wurden, und einen Herold, der den Reformator auf Kosten der Stadt nach Zürich und von da nach Konstanz geleitete.

Noch am Tag von Capitos Abreise beschloss der Rat, die «Acta Synodi», die ihr Autor in Kapitel unterteilt und mit einem Vorwort versehen hatte, bei Froben in Basel drucken zu lassen. Das Vorwort erhielt am 17. Januar die offizielle Genehmigung. Es bildet mit dem Erlass der Herren von Bern an die Pfarrer, der ihm im gedruckten Text vorangeht, eine Art Dialog, in dem die Stimme des Predigers derjenigen des christlichen Magistraten antwortet.

Man war am Drucken der offiziellen Ausgabe des mit dem Wappen der Republik versehenen deutschen Texts, die schon Mitte Februar fertiggestellt war, aber erst Anfang April erschien; und gleichzeitig wurde, wie so oft im 16. Jahrhundert, eine für die Gebildeten bestimmte lateinische Übersetzung besorgt. Die Aufgabe war einem jungen Berner, der damals in Basel sein erstes Lehramt angetreten hatte und später in der Berner Kirche eine führende Rolle spielen sollte, anvertraut: Simon Sulzer. Sein Werk, in das ich nicht habe Einsicht nehmen können, erschien bei Cratander in Basel (die Widmung an den Rat trägt das Datum des 29. März 1532). Sogar von einer Übersetzung des «Synodus» ins Französische, zweifellos zum Gebrauch der Prediger im Welschland, war die Rede gewesen. Der Rat hatte die Sache gutgeheissen. Daraus geworden ist allem Anschein nach nichts.

Das sind in Kürze die Bedingungen, unter denen der «Synodus» erarbeitet wurde. Kein Wunder, dass ihm da und dort Spuren der Hast anhaften, mit der er im Hinblick auf die Pfarrersynode hingeworfen und nachher dem Drucker überwiesen wurde. Begreiflich nun auch der Nachdruck, mit dem sein Verfasser auf die praktischsten Fragen der Pastoraltheologie zu reden kommt: auf die Eigenschaften der Diener am Evangelium, die Predigt, die Seelsorge usw. Hier lag in der Tat, wollte man dem Kirchenvolk den Respekt vor dem Gotteswort und die geistliche Autorität seiner Träger beibringen, eine der vordringlichsten Aufgaben. Mit Leichtigkeit lässt sich die enge Beziehung zwischen dem «Synodus» und den Schwierigkeiten, auf die wir weiter oben hingewiesen haben, feststellen.

Aber wir haben hier alles andere als eine Gelegenheitsarbeit vor uns. Capito hat, als er diese «Verordnung über den Wandel der Pfarrer» verfasste, in diese Kapitelchen sein ganzes Herz und seinen ganzen Glauben gesteckt. Zu Recht hat einer der besten Kenner seines Denkens, Pfarrer und Professor Strasser, in diesem Zusammenhang von einer «Theologie der religiösen Erfahrung»* reden können.

Wenn in diesen Blättern ständig die Rede ist vom uns innewohnenden Heiligen Geist, dem inwendigen Lauf der Gnade, der geistlichen Freiheit der Gewissen, an der sich keine menschliche Macht vergreifen darf, so haben wir da Capitos Denken vor uns. Auch wenn wir lesen, was über die Sakramente – Taufe und Abendmahl – gesagt ist, vernehmen wir Capitos Stimme. Wie sollte man nicht an die Strassburger Versuche, zwischen Zürich und Wittenberg zu vermitteln,

---

* Otto Erich Strasser, «Une théologie de l'expérience religieuse au temps de la Réformation», in der «Revue de théologie et de philosophie», 1932, S. 307–318.

erinnert sein angesichts dieser wiederholten Feststellung: Die Sakramente sind nicht einfach Zeremonien in der Art derer des Alten Bundes, nicht bloss äussere Zeichen, sondern kraft des geheimnisvollen Handelns Gottes bergen sie eine geistliche Realität, die der Gläubige in seinem Herzen empfängt? Capito, endlich, ist es auch, der in der Abendmahlsliturgie für die Kirche das Recht beansprucht, diese himmlische Nahrung denen zu verweigern, die nach Paulus (1. Korinther 6) vom Himmelreich ausgeschlossen sind. «Aber», fügt er sogleich bei, «die Dinge liegen noch zu sehr in den Anfängen: So wollen wir uns denn mit dem Konsistorium begnügen, vorausgesetzt, dass es seine Sache gewissenhaft besorgt.» Es war in der Tat vorauszusehen, dass der Rat von Bern so wenig wie der von Zürich den Pfarrern das Exkommunikationsrecht, dessen Missbrauch in den Zeiten der Römischen Kirche unvergessen war, zuerkennen würde. Immerhin verdient es diese Willensregung – fünf Jahre vor den «Artikeln» der Prediger in Genf, denen Calvin den Stempel seines Genius aufprägen wird – vermerkt zu werden.

Was hier vorliegt, sind nur ein paar geraffte Hinweise. Wer die Theologie des «Synodus» studieren will, mag sich an den schon zitierten Artikel von Strasser halten oder auch an sein Buch über Capito und Bern*, dem das Beste an dieser Einleitung entnommen wurde. *Henri Meylan*

---

* «Capitos Beziehungen zu Bern». Quellen und Abhandlungen zur Schweizerischen Reformationsgeschichte, Bd. IV, Leipzig, Heinsius, 1928.

Verordnung darüber,
wie sich die Pfarrer und Prediger
zu Bern-Stadt und -Land
in Lehre und Leben verhalten sollen,
mit weiteren Ausführungen über Christus
und die Sakramente;
beschlossen in der Synode,
die ebenhier zusammengetreten ist
am 9. Januar 1532.

«Ob wir auch Christus nach dem Fleisch gekannt haben, so kennen
wir ihn doch jetzt so nicht mehr.»

2. Korinther 5, 16.

Wir, der Schultheiss, der Kleine Rat und der Grosse Rat – genannt «Die Zweihundert der Burger» – von Bern, entbieten all unsern Pfarrern und Prädikanten, die in unsern Landen und Gebieten wohnhaft sind und uns und den Unsern mit dem Dienst am Wort Gottes vorstehen, vorweg unsern geneigten Gruss und alles Gute, und lassen euch hiermit folgendes wissen.

Zwar haben wir das Papsttum samt seinem falschen Vertrauen und misslichen Glauben aberkannt, vor demnächst vier Jahren nach Abhaltung einer Disputation für uns und

Ir der Schultheyß/klein vnd groß Rhädt/
genant die zweyhundert der burgere zů Bern/
Entbietend allen vnd yeden vnseren pfar=
reren /vñ predicanten/so in vnseren Landen
vnd gebieten wonhafft/vnd mit dienst deß Wort Gottes
vns vnnd den vnseren vorstan / vnseren günstigen grůß/
vnd alles gůts zůuoʒ/ vnnd thůn üch hie mit zů wüssen.

Nach dem wir dz Pabstumb sampt sim falsche vertru=
wen vnd mißglouben ab erkant/vnd das heylig Euange
lium für vns vñ vnser vnderthanen zů Statt vñ Land
voʒ vier jaren nächst verschyne/vff erhaltene Disputati=
on angenomen/vnd als andere burgerliche Satzungen
vnd Landtrecht/in leer vnd leben durch göttliche hilff zů
halten/mit hertz vnd mund/vnd vfferhabnen Eyden ge=
schworen. Welches in rechter übung nit syn vnd blyben
mag/es sy dañ/das jr die diener der Gmeynde/als ein gů=
ter brunn/gesunde geystliche leer/vnd ein frumm besserlich
leben dem volck/so dürstig gegen der gerechtigkeyt herfür
bringen. Sölichs zů fürdren wir allerley ordnung vnd
Satzung üch die seelsorger belangend vnser Reforma=
tion jngelybt/vñ sunst üwren Synodis vnd versamlun=
gen/haben fürtragen lassen. So befinden wir dennocht
vil grosses gepʒestens an üch in leer vnnd leben. da durch
Gottes eer vnd alle frummkeyt vnnd erbarkeyt by den
vnderthanen schwärlich verhindert jr wäsen vñ wolstand
sich ergert/vnd über vns vnd das volck der zoʒn Gottes
gehusset wirt. da durch dañ das heylig Euangelium vn=
serthalb nit vnbillichen von denen die vßwendig syn ver=
lestret wirt/die das Sigill der warheyt/das ist/zucht vnd
hertzliche frummkeyt/by den zůhöʒern vnsren vndertha=

a ij   nen

unsere Untertanen zu Stadt und Land das heilige Evangelium angenommen und mit Herz und Mund unter feierlichem Eid geschworen, es wie andere burgerliche Satzungen und Landrechte in Lehre und Leben mit göttlicher Hilfe halten zu wollen. Voraussetzung dazu, dass wir das jetzt und in Zukunft richtig tun können, ist, dass ihr Diener der Gemeinden als ein guter Brunnen dem Volk, das nach der Gerechtigkeit dürstet, gesunde geistliche Lehre und ein frommes, besserliches Leben hervorbringt. Um solches zu fördern, haben wir unsrem Reformationserlass diverse euch Seelsorger betreffende Verordnungen und Satzungen einverleibt, die wir dann auch euren Synoden und Versammlungen haben vorlegen lassen.

Trotz alledem stellen wir an euch viel böse Gebresten in Lehre und Leben fest, die der Ehre Gottes und aller Frömmigkeit und Ehrbarkeit bei den Untertanen sehr im Weg sind. Was bei diesen gesundes Wesen und Wohlanständigkeit ist, nimmt daran Ärgernis, und über uns und das Volk wird der Zorn Gottes gehäuft. All das hat zur Folge, dass unsretwegen das heilige Evangelium von den Aussenstehenden, nicht zu Unrecht, verlästert wird: Sie spüren bei den Zuhörern, unsern Untertanen, vom Siegel der Wahrheit – von Zucht und herzlicher Frömmigkeit – nicht viel. Wir haben uns das, wie recht und billig, zu Herzen genommen und uns deswegen Gedanken gemacht. Wir hatten ja sowohl von euch Seelsorgern als auch vom einfachen Mann an tiefer Gottesfurcht, an Besserung des Lebens, an Tugend und Ehrbarkeit, an allem Guten viel mehr erwartet, als wir leider bis dahin gefunden haben. Offen zutage getreten ist der Schaden vor allem nach den Unruhen, die es hier neulich gab: Da haben wir's, hätten wir's nicht sonst gewusst, in die Augen springen sehen, wieviel Unrat und böse Sitten die Zwietracht geboren hat und wie wenig Christentum noch erst vorhanden ist. Denn ungeachtet unsrer obrigkeitlichen Gebote sind bei vielen unserer Untertanen deutscher und welscher Zunge alle Laster kräftig ins Kraut geschossen.

Drum haben zuerst einmal wir selber einander die Gewissensfrage gestellt und uns genau geprüft. Wir haben geflissentlich erforscht, wie denn ein jeder von uns in seinem Innern zum allmächtigen Gott stehe: ob er letzten Endes Leib, Ehr und Gut mehr zu erhalten begehre als das himmlische, ewige Leben, wie es uns durch Christus erworben, durch seine Diener verkündigt und durch den Heiligen Geist bei den Gläubigen mehr oder weniger reichlich ausgeteilt ist. Es hat sich gezeigt, dass – ungeachtet der «Beschwerden dieser Zeit», wie sie schwachen Gewissen zu schwerer Belastung und Anfechtung werden – gottlob sein väterlicher Wille durch Christus Jesus uns so tief nicht hat fallen lassen, dass bei uns wegen unseres, wie gesagt, überschweren Kreuzes ein Unwille und Verdruss gegenüber seinem heiligen Namen und seinen wahrhaftigen Verheissungen aufgekommen wäre. Nein, wir sind gleichsam neu übereingekommen und wiederholen die Erklärung, dass wir am heiligen Evangelium, so weit der Arm unserer Obrigkeit reicht und der Herr Gnade verleiht, bei uns und unsern Untertanen in Lehre und Leben festhalten. Genau das haben von uns auch die Abgeordneten all der Unsern, die neulich vor uns erschienen sind, verlangt, um daraufhin das seinerzeitige Reformationsedikt und die Mandate von sich aus bei ihnen wieder ohne weiteres in Kraft zu setzen.

Aus diesem Grund – und zum Teil auch, um anderes Ungefreute loszuwerden – sind wir zur Ausschreibung einer Synode von euch allen, die ihr unsere Pfarrer und Seelsorger seid, veranlasst worden, wie sie erfolgt ist. Als ihr nun am neunten Januar dieses laufenden Jahres zweiunddreissig hier in Bern eingetroffen und vollzählig versammelt wart, habt ihr, unser und euer eigenes Erwarten und Hoffen weit übertreffend, aufgrund des nachfolgenden Textes einander – Satz um Satz – getreulich ermahnt und diese Ermahnung mit grosser Einhelligkeit und Herzlichkeit angenommen. Dazu hat der gnädige Gott eure Gemüter, wir hoffen das, ebenso sehr inwendig bewegt wie von aussen durch einen seiner Getreuen, die ihm Gehilfen und Werkzeug sind, gefördert. Er selbst wolle dieses sein Werk bei euch und uns und auch bei allen Gläubigen vollbringen bis ans Ende. Amen.

Darauf habt ihr, unsere Pfarrer und Seelsorger, uns, dem Schultheissen, dem Kleinen und dem Grossen Rat diese eure Verhandlungsakten überwiesen und die Bitte drangeknüpft, wir möchten sie uns vorlesen lassen, sie, falls wir sie billigen, kraft unserer Autorität und Macht bestätigen, sie, soweit sie uns berühren, halten und sie euch zu halten befehlen: damit nicht Gottes Gnade und Gabe, nämlich eure so christliche Besinnung und Einkehr, durch Nachlässigkeit dahinfalle oder in Verachtung gerate, wie es geschieht, wenn in einer gewöhnlichen Versammlung eine besserliche Verordnung nicht durch eine Obrigkeit, die das Herz am rechten Fleck hat, bekräftigt wird.

Diese eure Schrift hat, nachdem wir ihren Inhalt zur Kenntnis genommen, unsere freudigste Zustimmung gefunden. Wir haben uns davon überzeugt, dass sie göttlich und besserlich ist und wissen nichts anderes, als dass ihr Pfarrer und Seelsorger euer Lehren und Leben eben in ihrem Sinn führen solltet. Dadurch, so darf gehofft werden, wird der inwendige, himmlische, ewige Bau emporwachsen und wird zugleich der Frevel und Mutwille des Fleisches abgestellt, dem Heiligen Geist und inwendigen Gang der Gnade aber freier Lauf gelassen, den zu knechten keiner Kreatur zusteht. Dieser Meinung habt in vorliegendem Schreiben vorab ihr selber Ausdruck gegeben.

Drum haben wir uns diese eure Synodal-Akten allgemein gefallen lassen. Wir haben uns davon überzeugt, dass sie der Förderung von Gottes Ehre und dem Aufgehen des heiligen Evangeliums dienlich sind, und bestätigen und bekräftigen sie. Wir wollen ihnen nachleben, soweit sie uns betreffen, und dafür sorgen, dass sie von all den Unsern zu Stadt und Land gehandhabt werden. Auch wollen wir dabei euch Pfarrer und Prediger schützen und schirmen, damit ihr einzig und allein Jesus Christus predigen, die Irrtümer verwerfen, Laster und Ärgernis sowohl der Oberherren als auch der Untertanen – wir selbst nicht ausgenommen – ohne Scheu antasten und bekämpfen dürft nach der Ordnung des Glaubens, der Liebe und der in den anwesenden Zuhörern stattfindenden Besserung zu Gott.

Doch wollen wir – ihr selbst habt euch dahin ausgesprochen, dass das christlich sei – es euch nicht nachsehen und nicht ungestraft durchgehen lassen, wenn jemand von euch die Erbauung nicht zu Gottes Ehre und nach Geistes Art lehrt, sondern aus böswilligem Trotz und selbstischen Begierden zerstörerische Lästerworte ausgiesst, es sei gegenüber Fremden oder Einheimischen, Frau oder Mann, Obrigkeit oder Untertanen. In dieser Hinsicht braucht indessen niemand von uns allzu Schlimmes zu befürchten.

Weil aber der grösste Teil dieser Akten euch selbst und euren Auftrag betrifft, so ist es unser Wille und unsere ernstliche Meinung, es solle ihnen jeder einzelne mit Lehre und Leben bei der Gemeinde und vor sich selbst nachleben, und es solle einer den andern freundschaftlich zu gleicher Haltung ermahnen, fördern und anspornen, vorab die Dekane und

die, die sich hinsichtlich Geschick und gutem Eifer hervor-
tun. Sollte sich dem aber jemand freventlich wiedersetzen,
dieser heilsamen Vorschrift spotten, seines Amtes nicht geflissentlich walten, anstössig leben oder sonstwie der
Gemeinde zum Schaden ausschlagen durch Übertretung eines
oder mehrerer Artikel dieser veranstalteten Synode, so mag er
wissen, dass es ihm, jedenfalls, was uns betrifft, nicht
ungestraft durchgehen soll. Nein, er hat von uns eine Strafe
zu gewärtigen, dass jedermann sich ausrechnen kann, wie
sehr wir uns Gottes Ehre und den Ungehorsam gegenüber
seinem Wort angelegen sein lassen.

Zuletzt ist unsere Order und abschliessende Meinung die,
dass diese Akten auf weiteren Synoden, die jedes Jahr um den
ersten Mai herum stattfinden sollen, fleissig verlesen, erläutert, ausgelegt und neu bekräftigt werden sollen und keinem
Punkt Abbruch getan werden dürfe. Wird uns aber von
unsern Pfarrern oder von anderer Seite etwas vorgebracht,
was uns näher zu Christus führt und was nach Massgabe des
Gottesworts allgemeiner Freundschaft und christlicher Liebe
zuträglicher ist als die jetzt hier verzeichnete Meinung, so
wollen wir das gern annehmen und dem Heiligen Geist seinen
Lauf nicht sperren, der nicht zum Fleisch zurück-, sondern
immerzu vorwärtsdrängt dem Ebenbild Christi Jesu, unseres
Herrn, entgegen. Der wolle uns alle in seiner Gnade bewahren.

Gegeben zu Bern am 14. Januar 1532.

*Verhandlungen der Synode oder Christlichen Versammlung,
die im laufenden 32. Jahr
am 9. Januar angefangen hat und am 14. darauf zu Ende
gegangen ist,
bei einer Zahl von 230 Anwesenden:
allen Prädikanten und Verkündigern des Wortes Gottes
in Bern-Stadt und -Land*

Von Auftrag und Befugnis der zeitlichen Obrigkeit, den Gottesdienst betreffend, samt einer Ermahnung an die löbliche Herrschaft Bern

Es lässt sich von gewöhnlichen Pfarrern und Dienern am
Wort des ewigen Gottes, gnädige liebe Herren, mit äusseren
Verordnungen schwerlich etwas Erspriessliches anfangen
und aufrechterhalten ohne das Zutun und die Unterstützung
der zeitlichen Obrigkeit. So ganz und gar zerrissen ist, bei den
Priestern und dem gewöhnlichen Volk gleicherweise, das
menschliche Gemüt und voll verkehrter Lust zu selbstdich-
tetem Planen: Nur erst so ganz und gar wenig Geist und Kraft
Gottes ist in unseren Herzen. Da geziemt es sich, dass die
Obrigkeit, die eine christliche Regierung und fromme Herrschaft sein will, alles daran setze, dass ihre Gewalt Dienerin

Gottes sei und dass sie bei ihren Untertanen evangelisches Lehren und Leben (so weit es auch etwas Äusserliches ist und bleibt) aufrechterhalte: Dafür wird sie ja vor dem strengen Gericht, in dem Gott die Welt durch Christus aburteilen und verdammen will, zur Rechenschaft gefordert werden.

So viel aber zum Gang der Gnade, den, so weit er auch seine äusserliche Seite hat, die zeitliche Obrigkeit fördern soll:

Zu wissen, wie er innerlich zustande kommt und gefördert wird, entzieht sich menschlichem Vermögen und steht auch keiner zeitlichen Obrigkeit oder Kreatur zu; denn die geistlichen und himmlischen Dinge sind viel zu hoch und gehen über den Horizont aller zeitlichen Befugnis. Drum soll sich eine Obrigkeit weder in die Gewissen einmischen noch von aussen etwas befehlen oder verbieten, wodurch die guten Gewissen bedrängt und dem Heiligen Geist Schranken gesetzt würden. Denn einzig und allein Christus Jesus, unser Herr, dem Gott «alle Gewalt» und «die Verheissung des Heiligen Geistes» gegeben hat, ist Herr der Gewissen. Deshalb sind denn auch Papst, Bischöfe und Pfaffen mit all ihrem Anhang Widerchristen und führen «die Lehren der Teufel» aus, unterstehen sie sich doch, die Gewissen zu knechten, Sünde zu finden, wo Gott nichts verboten hat, und was vor Gott Sünde ist, zu vergeben, Gnade zu verleihen und mit Hilfe ihrer selbsterdichteten Werke auch andern Leuten Gnade zu verdienen, eine Gotteslästerung, die die weltlichen Herren nicht nur nicht mitmachen, sondern nach Kräften verhindern und fliehen sollen. Aber das heisst nicht, dass sie darum von göttlichem Regieren, so weit dieses äusserlich ist und der freie Lauf der Gnade durch ihre Befugnis gefördert wird als wie durch Mithelfer Gottes, abstehen sollen. Mit andern Worten, sie möchten auf gesunde Lehre halten, Irrtum und Verführung abwenden, alle Gotteslästerung und offensichtliche Sünde in Gottesdienst und Leben abtun, die Wahrheit und Ehrbarkeit beschützen usw.

Weil nun, gnädige liebe Herren, Euer Gnaden mit solchem Einsatz ihrer Person das Evangelium angenommen, es euren Untertanen vorgetragen und es auch bei euch und all den Euren zu Stadt und Land als ein Munizipal- und besonderes Stadtrecht zu handhaben geschworen haben, so ist es also wie eine andere äusserliche Satzung eurer Herrschaft zu achten und kann ohne Unehre vor der Welt von euch auch nie mehr preisgegeben werden.

Gewiss, euer Dienst und eure Befugnis hinsichtlich des Evangeliums macht, wenn nicht Christus selbst am Werk ist, nur eben Gleisner, und *hat* sie auch gemacht. Denn unter denen, die die Messe als Gotteslästerung meiden, sind viele, die mit diesem Greuel, hätten nicht Euer Gnaden ihn durch ihr Edikt und Mandat abgestellt, noch so zufrieden wären.

Aber was tut's? Denn Moses Dienst hat mit dem Gesetz Gottes, das doch ein Gesetz des Lebens ist, auch nicht mehr ausgerichtet – Mose durfte ihn auch nicht ungetan sein lassen, musste vielmehr sein Amt ausüben und so dem Fleisch das lebendige Gesetz zum toten Buchstaben, ja, zum Zorn und Tod, werden lassen. Hat doch, wie sich Mose in seiner letzten Rede kurz vor seinem Tod beklagt (Deut. 29), in seiner ganzen Dienstzeit Gott dem Volk «kein verständiges Herz, keine erleuchteten Augen, keine hörenden Ohren» gegeben, und dabei war er vierzig Jahre bei ihnen gewesen: So wenig Frucht bringt vor Gott das Tun des äusserlichen Dieners.

Doch wie immer es aufgenommen werde, kein Schatten fällt auf Euer Gnaden. Denn Euer Gnaden hatten durch ihren Dienst jedermann zur Wahrheit vorwärtsbringen und öffentliches Ärgernis abstellen wollen. Da nimmt es aber die Welt

44

genauso bloss der Gleisnerei halber an wie unter Mose, als er es unternahm, das Volk vorwärtszubringen zu Gott und es bei einem frommen, besserlichen Wandel zu halten.

Und obwohl weder ihr noch überhaupt eine Instanz der Gewalt ein gutes Gewissen vor Gott zu verschaffen vermögt, so tragen Euer Gnaden durch ihren Dienst doch dazu bei, dass bei euren Untertanen das reine Wort Gottes verbreitet, die lautere Gnade angezeigt und auf den einzigen Brunnen hingewiesen werde, aus dem sich die Wasser des Heils schöpfen lassen: auf unsern Herrn Jesus Christus, der unser einziger Mittler ist, nehme das an, wer will. Und wäre es gleich bei jedermann vergebliche Mühe (was doch nicht denkbar ist), so habt ihr nichtsdestoweniger das Eure getan und eure Seele errettet, habt viel Gutes gewirkt, wie Mose und die frommen Könige von Juda, damit, dass sie das Gesetz beim gewöhnlichen Volk im Schwang gehalten haben. Denn im Verlesen des Gesetzes und im Predigen des Worts, auf das die Könige hielten, ist das Urteil Gottes über die Böswilligen verkündigt, öffentliche Gotteslästerung, Schande, Laster und Ärgernis abgestellt, das Arge gestraft, das Gute gefördert und gemehrt worden. Darum sind denn auch die frommen Könige durch den Heiligen Geist in der Schrift in hohen Tönen gerühmt worden.

Es soll Euer Gnaden von solchem christlichen Einsatz nicht abbringen, wenn ein paar einfältige Leute den Einwand erheben, das Christentum sei etwas Inwendiges, es lasse sich nicht mit dem Schwert regieren, sondern über ihm könne nur Gottes Wort walten, Euer Gnaden richte ein neues Papsttum an, wenn ihr euch in Glaubenssachen einmischen wollet usw.

Antwort: Ja, dem wäre so, wenn eine Regierung in die Gewissen eindringen und christliche Freiheit, die auf einem guten Gewissen beruht, knechten wollte. Das ist, im vorlie-

45

genden Fall, von Euer Gnaden nicht zu befürchten, indem ihr ja auf lautere Predigt der Wahrheit und auf Ermahnung zur Frömmigkeit aus seid, darauf, dass die Laster sowohl der Untertanen wie der Obrigkeit ganz furchtlos gestraft werden und man sich im Gottesdienst, und überhaupt, an eine äussere Ordnung halte, die dem ungebrochenen Lauf des Heiligen Geistes nichts in den Weg stellt. All das wird geschehen, wenn Euer Gnaden die nachstehende Ordnung, die wir auf dieser Synode unter uns beraten haben, zur Förderung von Gottes Ehre bestätigt und sie uns, die wir zu Stadt und Land dieses Evangelium verkündigen sollen, als euren pflichtschuldigen Untertanen zu halten befehlt und gebietet: worum wir Euer Gnaden untertänig ersucht und um Gottes willen gebeten haben möchten.

Und nun also unsre Ordnung.

Die Gedanken, die wir uns gemacht haben, gliedern sich in folgende Punkte.

KAPITEL 1

Dass wir unserem Amt fleissig vorstehen sollen

Vorab dies: Wir Pfarrer und Prediger sollen ja andern gegenüber Boten Christi, Diener des Geistes und Verwalter der Geheimnisse Gottes sein und als das gelten, gleichwie in den Belangen der äussern Ordnung die löbliche Regierung der Stadt Bern und andere Obrigkeiten Diener Gottes sind und heissen. So muss für uns die von unsern gnädigen Herren aufgestellte Satzung betreffend das Evangelium unbedingt dahin

46

lauten, dass wir auf unsern Dienst und das uns befohlene Amt, das geistlich, innerlich und himmlisch ist, sorgsam achten und ihm mit allem Fleiss und Ernst obliegen. Da erfordert unser Amt zweierlei: heilsame Lehre und ein besserliches, ehrbares Leben uns selber und unseres Glaubens Hausgenossen und Verwandten gegenüber.

KAPITEL 2

Dass die ganze Lehre einzig und allein Christus sei

Mit der Lehre verhält sich's so: Alle heilsame Lehre ist nichts anderes als das eine ewige Wort Gottes, die väterliche Güte und Herzlichkeit, die er uns durch Christus mitgeteilt hat, also nichts anderes als Christus selbst, der um unserer Sünde willen gekreuzigt und um unserer Gerechtigkeit willen – damit wir gerechtfertigt würden – von den Toten auferweckt ist. Was dieser Lehre widerspricht, widerspricht unserem Heil. Was daherkommt nicht mit solchem Verständnis und diesem Inhalt, lässt sich niemals christliche Lehre nennen. Denn alle christlichen Prediger sind Boten Christi und Zeugen seines Leidens. Nur einzig seinen Willen und Befehl sollen wir ausrichten, als solche, die von ihrem Herrn einzig dazu ausgesandt und abgefertigt sind; gleichwie er, der Herr Jesus Christus, vom Vater gesandt ist zu nichts anderem, als dass er den Menschen seine Vatertreue und seinen Vaternamen offenbare. Und das hat er getreulich sein ganzes Leben hindurch ausgerichtet, indem er ja unablässig in seines himmlischen Vaters Tun und Schaffen drin gewesen ist und nichts von sich aus geredet, nur so gelehrt hat, wie er's vom Vater gehört hat.

KAPITEL 3

Dass Gott dem Volk einzig und allein in Christus angezeigt werden soll

Wie schimpflich ist es für einen Diener Christi, wenn er seines Herrn Befehl nicht weiss und sich andern – vergeblichen! – Geschäften unterzieht, statt sich ganz und gar der Belange seines Herrn – der Belange unserer Seligkeit! – anzunehmen. Noch heute redet der Vater zu uns durch seinen Sohn, der im Heiligen Geist unsern Herzen innewohnt, durch den Gott der Herr uns mit sich versöhnt und in dem wir die Werke Gottes und seine herzliche Väterlichkeit uns gegenüber erkennen. In solchem Verstehn und Erfahren Christi nimmt der gläubige Mensch täglich zu, in ihm wächst er auf; ihm bringt ihn die tägliche Ermahnung näher und näher.

Dazu kommt es nicht, wenn die Prediger viel von Gott reden auf heidnische Art und diesen Gott nicht anzeigen in dem Angesicht Christi, der seiner Herrlichkeit Abglanz und seiner wesentlichen Wahrheit Ebenbild und Symbol ist. Unterlassen es die Prediger, die Gnade Gottes in Christus anzuzeigen, so wird ihr Volk je länger je ärger und ungläubiger und zuletzt «ohne Gott in der Welt», wie die Heiden waren, die ebenfalls viel Geschwätz von einem natürlichen Gott gehört und geredet, aber nichts von ihrem Vater im Himmel vernommen haben. Drum haben sie den bekannten Gott so lang nicht als Gott verehrt, als nicht Christus ihnen verkündigt und von ihnen geglaubt wurde, wie Paulus im zweiten Kapitel an die Epheser schreibt. «Ihr waret», sagt er, «dazumal ohne Christus ..., daher hattet ihr keine Hoffnung und waret ohne Gott in der Welt.»

KAPITEL 4

Dass Christus das rechte Fundament sei

So ist Christus unser Herr der Grund des geistlichen Gebäudes, sein Fundament. Ausserhalb von Christus ist kein Heil zu erhoffen, *in* ihm aber nicht Schaden noch Verdammnis zu befürchten. Er ist der Eckstein, der Fels, der Eingang, das Leben und die Wahrheit. Einzig und allein diesen Jesus Christus haben die Apostel und ihre Jünger, deren Nachfolger die Pfarrer sein sollen, gepredigt. Seinetwegen hat Paulus jene Gerechtigkeit, die er aus dem Gesetz hatte, verachtet und abgelehnt (Phil. 3). Zusammen mit allen Aposteln hat er einzig und allein Christus für seine Grundfeste gehalten. Weitere

Stellen, die wir im folgenden anführen, belegen das. Eigentlich dient ja die ganze Schrift als solcher Beleg.

«Ich nach Gottes Gnade, die mir gegeben ist, habe den Grund gelegt... Einen andern Grund kann zwar niemand legen ausser dem, der gelegt ist, welcher ist Jesus Christus» (1. Kor. 3). «Ihr seid Mitbürger der Heiligen und Hausgenossen Gottes, erbaut auf den Grund der Apostel und Propheten, da Jesus Christus der Eckstein ist» (Eph. 2). «Wenn anders ihr geschmeckt habt, dass der Herr freundlich ist, zu dem ihr gekommen seid als zu dem lebendigen Stein» (1. Petrus 2). Dieser Jesus ist der auserwählte «kostbare Eckstein», von dem Jesaja 28 und Psalm 118 spricht.

KAPITEL 5

Dass der gnadenreiche Gott ganz unvermittelt einzig und allein durch Christus erkannt wird

Doch was bedarf es vieler Worte: «Alle Schätze der Weisheit und Erkenntnis liegen verborgen in Christus» (Kol. 2). Warum sollte ein christlicher Prediger aus andern Historien oder den nebensächlichen Büchern Weisheit suchen, die nicht diesen Reichtum, nicht diese Schatzkammer Gottes zutage fördert: Jesus Christus, unsern Herrn, in dem alle Dinge zusammengefasst sind!

Da will man etwa ohne Christus viel Worte machen vom Allmächtigen Gott. Aber das ist unfruchtbar, da Gott ja von jeher sich in Werken erzeigt hat und durch allerlei Eigentümliches und Sprechendes deutlich hervorgetreten ist: im Paradies durch den Baum des Lebens; nach Adams Fall durch den Nachwuchs der Frau; dem Abraham durchs Werk der Ausführung aus Ur in Chaldäa; seinem Knecht und Nachkommen als der Herr und Gott Abrahams; nachher beim Volk Israel als Gott Abrahams, Gott Isaaks und Jakobs Gott. In der Wüste und im Gelobten Land als der Gott, der uns aus dem Land Ägypten, aus dem Diensthaus, geführt, mit uns den Bund auf dem Berg Horeb gemacht hat. Dieses Bündnisses wegen wurde auch die Bundeslade, der Tempel und die Stadt Jerusalem «Gott der Herr» genannt; denn Gott wurde verstanden unter diesen Symbolen. In verdunkelter Form ist auf diese Weise Gott durch allerlei Werke der Gnade und bestimmte Handlungen oder Zeichen als ebender herausgestellt worden, als den ihn bis auf diesen Tag die wahren Christen, unfehlbar hell und gewiss, im Herrn Jesus Christus begreifen. Drum soll und muss durch die Verkünder Christi «die Erleuchtung von der Erkenntnis der Klarheit Gottes» betrieben werden «in dem Angesicht Jesu Christi», und nicht ausserhalb oder ohne Christus (2. Kor. 4). Denn solche nicht von Christus gebaute Erkenntnis Gottes fällt ab und zerrinnt zwischen den Händen, wie Cicero am Fall von Simonides darlegt: Dieser kam durch fleissiges Betrachten und Erforschen, was Gott sei, zuletzt so weit, dass er weniger von Gott wusste, als da er sich solche Gedanken zu machen anfing. Den Juden fehlt es auch heute noch an Gotteserkenntnis, bei ihrem toten Buchstaben und der Bundeslade, die es ja nicht mehr gibt. Ein neues Symbol und Kennzeichen Gottes gibt es jetzt: Gott selber, der in Christus die Welt mit sich versöhnt hat. Vorher hatte der Deckel der Lade Gnadenthron geheissen, jetzt ist Christus selber der wahre Gnadenthron, von dem her wir Gottes gnadenreiche Stimme hören. Mit ihm gehen wir sicher: Durch ihn haben wir sichern Zugang zum Vater, wie das Jeremia bezeugt. «Sie werden nicht mehr sagen: die Bundeslade des Herrn. So zu reden wird ihnen nicht mehr einfallen, sie werden der Lade nicht mehr gedenken. Sondern *Jerusalem* wird der Thron Gottes genannt.» Da redet der Prophet vom Reich Christi und vom himmlischen Jerusalem, das frei ist und – in den Herzen der Auserwählten – Gott zum Einwohner hat. Daraus folgt, dass in dieser Zeit der Gnade Gott der Vater einzig und allein vom Haupt und den Gliedern, nämlich bei Christus und seinen Gläubigen, in Wahrheit verstanden wird. Durch Christus, in dem die Gnade auch zu den Heiden gekommen ist, sind diese der Gnade teilhaftig geworden ohne das Gesetz, durch sein göttliches Blut und kraft der Wirkung des Heiligen Geistes.

KAPITEL 6

Eine christliche Predigt ist ganz und gar aus Christus stammende Christuspredigt

Da Gott sich und seine Erkenntnis je und je an massgebende Werke und Zeichen «gebunden» und diese Symbole, Schatten und Vorbilder alle auf Christus Jesus gedeutet hat, der in diesen letzten Tagen erschienen ist, seinen Lauf im Fleisch vollbracht hat, gen Himmel gefahren ist und sich im Heiligen Geist den Gläubigen erschliesst; und da einerlei ununterschiedenes Geheimnis des Vaters und des Sohnes ist, den Vater niemand zu erkennen vermag ausser durch den Sohn: so müssen alle Gottesdiener und Verkündiger des Reiches Christi unbedingt beflissen sein, den alleinigen Herrn Jesus Christus zu predigen, dessen Erkenntnis alles übertrifft. Drum sollen wir einander getreulich ermahnen, dass wir Diener Christi einzig und allein diesen unsern Herrn, auf dem der ganze Ratschluss Gottes ruht, predigen, damit wir nicht als Gesetzesprediger erfunden werden oder aber als weltliche Prediger, die ihre eigenen Vernunftgedanken lehren und als falsche Diener vom Herrn verworfen werden.

KAPITEL 7

Dass christliches Lehren und Leben vom Tod
und der Auferstehung Christi aus angefangen
und vollzogen sein will

Es genügt auch nicht, dass die Pfarrer durch x-maliges Wiederholen dem Volk Worte wie «Jesus Christus ist unser Heiland» aufschwatzen; denn das Evangelium vom Reich steht nicht in leerer Stimme und blossen Worten, sondern in wahrer Kraft Gottes, von der die Herzen der Gläubigen gepackt, verändert und erneuert werden und die aus armen Sündern Gotteskinder und richtig himmlische Menschen macht, mit einer nicht an Fleisch und Blut, sondern an Gott orientierten Art und Gesinnung.

Zu solchen Gaben und Gnaden ist der Weg aber nur offen, wenn vom Tod und der Auferstehung Christi ausgegangen und somit im Namen Christi die Busse und Vergebung der Sünden verkündigt wird. Das ist der Inhalt aller christlichen Predigt.

So zu predigen hat der Herr selbst seinen Jüngern befohlen, so haben's die Apostel gehalten, so die Auserwählten im Glauben angenommen, so hat's der Heilige Geist bestätigt, und alle Welt vermag es nicht in Abrede zu stellen.

Dazu ist folgender Spruch zu bedenken: «Da öffnete er ihnen das Verständnis, dass sie die Schrift verstanden, und sprach zu ihnen: Also ist's geschrieben, und also musste Christus leiden und auferstehen von den Toten am dritten Tage und predigen lassen in seinem Namen Busse und Vergebung der Sünden unter allen Völkern» (Luk. 24).

Wie wir hier sehen, fängt erst nach der Auferstehung die Predigt der Busse und Vergebung der Sünden an; denn im Namen dessen, der gelitten hat, gestorben und auferstanden ist, soll die Busse und Vergebung der Sünden gepredigt werden. Dahin ist denn der Inhalt aller Predigt auszurichten, damit von dorther fortan Irrtum beseitigt, die Sitten gebessert und das Gute gefördert werde. Dass der Herr seine Jünger zum Predigen ausgesandt hat nach seiner Auferstehung, gehört mit in diesen Zusammenhang.

Dabei sei angemerkt, dass unter der Auferstehung der ganze Lauf Christi zu verstehen ist, namentlich auch die Auffahrt gen Himmel und Austeilung des Heiligen Geistes samt nachfolgendem Handeln des Geistes im Gewissen der Gläubigen.

Es sind auch die Petruspredigten im Buch der Apostelgeschichte zu studieren. Diese halten sich zum Verkündigen des Heils durch Christus an die eben angezeigte Ordnung (Apg. 2, 4, 5, 11, 17, 20). Denn überall zeigen sie den Tod und die Auferstehung Christi an und treiben dadurch zur Busse und Vergebung der Sünde, was die Summe unseres Evangeliums ist. Diese Apostelpredigten sollen fleissig betrachtet werden, damit wir anfangen, wo diese angefangen haben, und zu gleichem Fortschritt und Wachstum in Christus kommen mögen.

Hiezu hört man sagen: Soll man beim Tod und der Auferstehung Christi anfangen und enden, wozu dienen dann die Evangelisten, die seine Geburt und sein Leben beschreiben?

Antwort: Die Geburt und das ganze Leben Christi ist eine Vorbereitung auf seinen Tod, so dass seine Amtswaltung, sein Leben und Lehren hier in dieser Zeit, überall auf unser Heil ausgerichtet ist: Da er ja vom Vater gesandt und in die Welt gekommen ist, um die Sünder selig zu machen, ist er seinem Auftrag gewiss je und je getreulich nachgekommen und hat alle seine Worte und Werke ihm untergeordnet; sonst wäre er seinem Vater ungehorsam gewesen – ein Gedanke, der sich verbietet. Drum sucht der Geist in uns in allem, was Christus uns lehrt, nichts anderes als das Wort seines Kreuzes und seiner Herrlichkeit. Genau gleich schaut er die Werke und Wunderzeichen Christi an: In ihnen versteht er den inwendigen Lauf der Gnade und das geistliche Handeln Christi im Herzen; denn aus blinden und tauben Sündern macht er Leute, die sehen und auf die Stimme des lebendigen Vaters hören, aus den Lahmen Helden, die aufrecht stehn und den Weg Gottes laufen mit heilen Gliedern. Durch seine heilsame

Gnade tilgt er den Aussatz der Sünden, den toten Sünder erquickt er durch den Geist der Auferstehung. So hört der Glaube zwar von äusserlichen Wunderzeichen Christi, wundert sich aber bei sich selbst viel mehr über die inwendigen, geistlichen Taten, die Christus täglich im Heiligen Geist tut und die alle Vernunft übersteigen. Die Geburt Christi als Geschehnis aus dem Heiligen Geist zeigt an, dass wir Kinder Gottes werden, wenn wir über die Geburt aus Fleisch und Blut hinaus auch noch zu neuen, himmlischen Leuten gemacht werden von ebendem Geist, den uns Christus verleiht. Wenn die Evangelisten die Geburt und das Leben Christi beschreiben, dann darum, weil das ganz zu unsrer Erlösung dient und darin das Absterben nach dem Fleisch und die Auferstehung nach dem Geist in Christus gezeigt und vorgetragen wird.

KAPITEL 8

Wie unsere Sünde aus Christus verstanden werden soll

Der Apostel schreibt, Gott preise seine Liebe gegen uns darin, dass Christus für uns gestorben ist, als wir noch Sünder und Gottes Feinde waren (Röm. 5). Die Folge davon ist, dass uns die Sünde abscheulich und verhasst wird. Hat doch der Sohn Gottes, um solche Sündenlast von uns zu nehmen, für uns sterben müssen. Er ist *einmal* im Heiligen Geist für uns geopfert und hat uns die ewige Erlösung gefunden.

Daraus geht klar hervor, was alles an Schaden und Fluch in unserm Herzen liegt, dass es einzig durch ein so kostspieliges Sündopfer, die Besprengung mit Gottes Blut, zu reinigen und zu heiligen war: Andere Abhilfe hatte es vorher keine gegeben.

Gott ist des Menschen Schöpfer, seinem Gott sollte er ganz ergeben sein. Das liegt nun freilich nicht in seiner Natur; denn er sieht aufs Geschaffene, auf sich und sein eigenes Wohlgefallen und macht sich zum Abgott, dem er selbst göttliche Ehre zumisst und im Grund auch zugemessen *haben* will: Daher kommt es, dass niemand gern verachtet ist.

KAPITEL 9

In Christus ist Erkenntnis der Sünde zu suchen: ohne Gesetz

Im Tod Christi haben die Apostel fast mühelos unsere verdammte Natur erkennen gelernt, wogegen es die Juden im Gesetz Moses sehr beschwerliche Arbeit gekostet hat, ihre Sünde zu erkennen. Drum haben die Apostel den Heiden ihre Sünde und die Versöhnung einfach durch Christus, ohne Gesetz, angezeigt und niemanden an Mose zurückverwiesen. Denn lernt man Sündenerkenntnis durchs Gesetz, so ist es nur etwas Totes, Kaltes, Lebloses. Was für Arbeit hatten sie mit den Juden, bis sie sie von Mose wegbrachten und ganz zu Christus führten! Warum sollten wir dann unser Volk von Christus weg auf die Gesetzesdienstbarkeit verweisen wollen?

KAPITEL 10

Warum Paulus den Heiden gegenüber so oft das Gesetz zur Sprache bringt

Wo aber die falschen Apostel ihren Fuss hingesetzt und neben Christus die Notwendigkeit des Gesetzes gelehrt haben, sieht sich der echte Apostel gezwungen, aufzuzeigen, wozu und inwiefern Mose mit seinem Dienst nützlich sei. Das hatte er bei den Heiden nicht nötig. Diese glaubten einfach und erhofften Vergebung der Sünden von Christus, dem sie, anhänglich, nachfolgten und auf den sie sahen in allem, was sie an die Hand nahmen. Denn wer an Christus glaubt, der hat das ewige Leben. Darum bedarf der gläubige Heide keines gesetzlichen Schulmeisters: Er ist schon im Besitz der Kindesfreiheit.

KAPITEL 11

Dass die Juden unter dem Gesetz wie die Heiden ohne Gesetz zum Glauben gekommen sind

Doch hat die aus den Reihen der Juden gesammelte Kirche aus christlicher Freiheit mit Christus zusammen sehr eifrig auch das Gesetz gehalten: ohne dem Vertrauen auf Christus Abbruch zu tun. Als wie Gott persönlich ermahnt sie dazu Maleachi, wenn er das Reich Gottes beschreibt und die Reihe der Propheten beschliesst und besiegelt. «Gedenket», spricht er, «an das Gesetz Moses, meines Knechts, das ich ihm befohlen habe auf dem Berg Horeb über ganz Israel: an die Satzungen und das Recht.» Warum und wie lang heisst Gott durch Maleachi des Gesetzes eingedenk sein? Darum und so lang, bis sie des Gesetzes Unvermögen und seinen wahren Gebrauch erkennen, das heisst, bis sie dadurch ein inbrünstiges Verlangen nach der Zukunft des Tags des Herrn bekommen, und bis der Busprediger Elia kommt und bei dem erschrockenen Sünder den Weg des Herrn bereitet. Moses Amt ist hernach aus, wird jedoch ohne Gebot freiwillig gehalten von denen, die seiner gewohnt sind und mit dem äusserlichen Gesetzeshandeln ihren Glauben und die innerlich-himmlischen Schätze auffrischen: sich sie verbildlichen. So hat es – als einzige im ganzen Umkreis – die Apostelkirche in Jerusalem gehalten. Drum lehrt Sankt Paulus keine Abkehr weg vom Gesetz, sondern ist mit Rücksicht auf die andern Apostel bereit, sich in Jerusalem nach dem Gesetz zu reinigen und als einer dazustehen, der das Gesetz für gut und recht hält und nicht als böse verwirft. Hingegen wollte die Apostelkirche in Jerusalem auch nicht die gläubigen Heiden an das Gesetz, ob dem sie für sich so sehr eiferte, *binden* (Apg. 21). Nützen tut es eben den Gläubigen aus den Juden, die von ihm rechten Gebrauch machen: Aufgrund ihres altvertrauten Gewohntseins an dergleichen erinnerten sie sich über dem Ausüben des Gesetzes ihres Herrn Jesus Christus, seiner Gaben und Gnaden, und ihrer Sünden. Aber den unerfahrenen Heiden brachte es – ob vor oder nach Christus gelehrt – ein falsches Vertrauen in die Werke: als ob nicht alles stehe und falle mit Christus. Diese Gesetzeswerke mochten die Juden aus der Erfahrung heraus als für sie nützlich erkennen ihrer Sinnbildlichkeit und Bedeutung wegen und hatten, solang sie in der erlangten Gnade bestanden, nicht zu befürchten, sie würden die gegenwärtige Gnade verlieren und sich wieder auf den Boden der schwachen Elemente dieser Welt begeben.

KAPITEL 12

Unterschied zwischen dem Christusprediger unter
den Heiden und dem, der unter den Juden predigt

Somit ist ein Unterschied zwischen dem Apostelamt bei den Heiden, wie es dem Paulus aufgetragen war, und dem andern Apostelamt – bei den Juden –, das der heilige Petrus versah. Dieses Apostelamt eifert über dem Gesetz, ohne Schaden zu nehmen (Apg. 21). Jenes nimmt sich des Gesetzes nicht an und hat gar nichts mit Mose zu tun, es sei denn beiläufig, soweit er von ihrem lieben Heiland zeugt und nützlich ist zur Lehre, zur Strafe, zur Besserung usw. Wir aber, die wir von Heiden herkommen und mit Heiden, nicht mit Juden, zu tun haben, sollen ohne Gesetz in Christus die Gnade verkündigen, wie das St. Paulus zu tun pflegt, und nicht mit der in Jerusalem versammelten Petruskirche so sehr dem Gesetz nachfragen. Denn Christus ist unsre Genüge – was wollen wir mehr? (Joh. 1).

KAPITEL 13

Der Grund für das seinerzeitige Aufkommen falscher Apostel

Der Grund ist der: Die falschen Apostel schützten die Kirche in Jerusalem, die grossen Eifer über dem Gesetz an den Tag legte, vor. Wahrheitswidrig rühmten sie sich bei den Heiden, sie hätten von ihr einen Auftrag, und unternahmen es, die Gläubigen unter den Heiden von Christus auf Mose zurückzuverweisen. Das tat aber die Kirche in Jerusalem nicht, und das gestattete diesen falschen Aposteln auch Paulus nicht. Vielmehr ermahnte er die gläubigen Heiden, fest bei dem reinen Glauben zu bleiben. Zu diesem Zweck musste er Übung, Brauch und Wirkung des Gesetzes zur Sprache bringen. Damit wollte er sie, die Gläubigen, nicht in erster Linie zu weiterer Erkenntnis der Sünde – von der sie eben erst gerechtfertigt worden waren! – führen, wo ein viel deutlicheres

Verständnis für die Sündenüberbleibsel ja aus Christus kommt. Vielmehr hat er solchen Gesetzesdisput betrieben, um sie vor dem Vertrauen ins Gesetz als in etwas Schädliches zu bewahren und sie in Christus zu befestigen, der ohne Buchstabengesetz den Geist des Lebensgesetzes gibt, welches ewig Bestand hat.

Drum wollen wir Pfarrer uns jene Art, zu predigen, vornehmen, derer sich die Apostel den Heiden gegenüber bedient haben. Ohne Gesetz, in Christus, haben diese die Sünde angezeigt und Gnade, Verzeihung der Sünde aus Christus und durch Christus verkündigt. Und *wenn* es vorkommt, dass vor unsrer Gemeinde eine Schriftstelle wider falsche Apostel und Gesetzeslehrer zu verhandeln ist, so soll diese richtig erläutert, daneben aber trotzdem die Einfachheit Christi ohne Gesetz herangezogen werden. Das dient zur wahren Gotteserbauung, und damit kommt man manchem Irrtum zuvor, den einfältige Leute sonst bald einmal aus dem Buchstaben auftreiben und dann ohne Verstand ins Feld führen wollen.

KAPITEL 14

Von der Busse und Sündenvergebung,
oder vom Gang der Gnade

Nachdem aus Christi Leiden und Eingehn in seines Vaters Geheimnis Erkenntnis der Sünde entstanden ist, schliesst sich folgerichtig eine rechtschaffene Busse an – das heisst, dass einem die Sünde wirklich von Herzen leid tut und missfällt – und an diese dann die Sündenvergebung – ihretwegen ist ja der Sohn Gottes von seinem himmlischen Vater zum Leiden und Sterben in die Welt gesandt, um uns durch seinen Tod zum Leben und in den Genuss der himmlischen Güter zu bringen.

Wo der Vater so seinen Sohn offenbart und ihn den Gewissen vorträgt, da ist die Folge ein fester Glaube und ein herzliches Vertrauen auf diese unbegreifliche Gottesgnade. Dieser Glaube macht gerecht. «Denn wer an mich glaubt», spricht der Herr, «hat das ewige Leben. Er ist vom Tode hindurchgedrungen» und im Himmel angeschrieben, in den nichts Beflecktes und Unreines eingehen darf.

Dies ist der Gang Christi, die Ankunft der Gnade durch seinen Geist: dass jedermann aus Christi Tod, Auferstehung und Auffahrt von seiner erkannten Sünde und verdammten Natur weg auf die Gabe Gottes in Christus kommen und sich restlos auf sie verlassen lerne. In diesem Sichverlassen ereignet sich das Annehmen der Gnade, durch die uns alle seinerzeitige Sünde vergeben ist und nicht zur Strafe angerechnet wird.

Erziehlich ist der Geist Christi auch damit, dass er die heimliche Sünde, den verborgenen Fluch auf den Herzen je länger je mehr offenbar macht, ans Licht bringt und jeden Tag neu verzehrt: Jeden Tag neu läutert er, wie Feuer das Silber, das Herz vom Abschaum und Unrat der Sünde und verfeinert es. Zwei Wirkungen nämlich hat bei uns der Heilige Geist: Erstens macht er durch seine Gnade die Gläubigen gerecht und zu neuen Menschen; zweitens hilft er, dass wir, gemäss der Hoffnung, Erben des ewigen Lebens werden. Das werden wir, wenn wir im Kampf des Glaubens bestehen und täglich dem Fleisch absterben, also geistlichen, himmlischen Sinnes werden.

Betreffend Busse und Sündenvergebung in Christus sind folgender und ähnliche Schriftsprüche zu bedenken: «Lasst uns zur Vollkommenheit fortfahren und nicht abermals den Grund legen der Busse über den toten Werken und des Glaubens an Gott» (Heb. 6).

KAPITEL 15

Die in Christus gefundene Busse ist die Grundlage

Die Busse ist die Grundlage; aber wie gesagt, sie soll in Christus gesucht werden. Drum lautet die Predigt Christi: «Tut Busse, das Himmelreich ist beinah da!» Das heisst, Ursache zur Busse soll sein, dass es einen danach verlangt, das von Christus angebotene Himmelreich zu empfangen und anzunehmen. Dazu kommt es, wenn uns der Heilige Geist mit

Christi Blut besprengt, reinigt und heiligt. Johannes ermahnt das Volk, das dem fälligen Zorn Gottes entrinnen und vom Verderben errettet werden möchte, zur Busse. Ihm, Johannes, sollen wir nachfolgen, wie die Apostel eigentlich ihm gefolgt sind. So zeigen's die nachstehenden Sprüche:

Nachdem Petrus in seiner Predigt nachgewiesen hat, dass Gott Christus vom Tod auferweckt hat, spricht er: «Nun er durch die Rechte Gottes erhöht ist und empfangen hat die Verheissung des Heiligen Geistes vom Vater, hat er ausgegossen, was ihr seht und hört... So wisse nun das ganze Haus Israel gewiss, dass Gott diesen Jesus, den ihr gekreuzigt habt, zu einem Herrn und Christus gemacht hat.» Und als sie sagten: «Was sollen wir nun tun?», antwortete Petrus: «Tut Busse und lasse sich ein jeglicher taufen auf den Namen Jesu Christi zur Vergebung der Sünden, so werdet ihr empfangen die Gabe des Heiligen Geistes» (Apg. 2). «Der Gott unsrer Väter hat Jesus auferweckt, welchen ihr erwürgt und an das Holz gehängt habt. Den hat Gottes rechte Hand erhöht zu einem Herzog und Heiland, zu geben Israel Busse und Erlass der Sünden. Wir sind Zeugen für dieses Gesagte, und der Heilige Geist...» (Apg. 5).

Dies ist eine ebenso kurze wie vollständige Predigt und umschliesst das ganze durch Christus vollendete Handeln Gottes.

KAPITEL 16

Das von der Welt her verborgene Geheimnis, dass Christus ohne das Gesetz den Heiden gepredigt werde, und andere Schriftstellen von der Busse

«Sie sprachen: So hat Gott auch den Heiden Busse gegeben zum Leben» (Apg. 11). In diesen Worten ist der herrliche Reichtum des Geheimnisses – Christus unter den Heiden! – ausgesagt, das von der Welt und den Zeiten her verborgen gewesen war. Wer nun das Amt, unter den Heiden zu predigen, hat und ein Sündengefühl wecken, Busse aufbringen will durch das Gesetz, der verdunkelt das Vortrefflichste am Geheimnis und der Herrlichkeit Christi: dass nämlich der Heilige Geist durch Christus auf die Juden unter dem Gesetz und die Heiden ohne Gesetz zugleich fällt. Das will sehr wohlgemerkt sein.

Paulus in Thessalonich «redete mit den Juden drei Tage aus der Schrift, tat sie ihnen auf und legte ihnen dar, dass Christus musste leiden und auferstehen von den Toten, den ich – sprach er – euch verkündige, der der Christus ist» (Apg. 17).

Ähnlich in Athen: «Und zwar hat Gott die Zeit der Unwissenheit übersehen; jetzt gebietet er allen Menschen an allen Enden Busse zu tun, darum, dass er einen Tag gesetzt hat, an welchem er richten will den Kreis des Erdbodens mit Gerechtigkeit durch *einen* Mann, in welchem er's beschlossen hat, und jedermann den Glauben anbietet, nachdem er ihn von den Toten auferweckt hat» (Apg. 17).

«Ich habe bezeugt beiden, den Juden und den Griechen, die Busse zu Gott und den Glauben an den Herrn Jesus Christus» (Apg. 20).

KAPITEL 17

*Dass sich die christliche Busse auch aus den Propheten
lehren lasse*

Wenn nun die Rede auch auf Bussprüche aus dem Alten
Testament kommen soll, dann, wie gesagt, jetzt ganz nur von
Christus her, auf den alle Propheten hinweisen, wie dieser
Jeremia-Spruch: «Wenn dies Volk, wider das ich geredet
habe, vom Übel absteht und Busse tut...»

Dergleichen will mit christlichen Ohren gehört sein, und
man soll sich vergegenwärtigen, wie solche Busse einzig und
allein bei Christus recht gesucht, gefunden und erlangt wird:
Es soll nur niemand einen Ernst zur Besserung ohne Einwir-
kung Christi aus sich selbst hervordichten und sich einreden,
er sei damit gleich nahe bei Gott.

KAPITEL 18

*Dass man im Verständnis Christi stetsfort zunehmen
und jeder seinen Glauben erforschen soll*

Diese Lehre soll bei den Kirchen und den gläubigen Leuten
täglich an Boden gewinnen. Sie sollen sich ihrer Berufung
durch emsiges Erforschen und Mehren ihres Glaubens je

länger je gewisser machen. Denn wer im Verständnis und Gefühl für Christus nicht zunimmt, nimmt ab und geht wieder zurück oder ist noch gar nie recht unterwegs gewesen. Da tun die Zusprüche und Ermahnungen des Paulus ihren Dienst. In ihnen sollen sich die Pfarrer fleissig üben.

Ferner: Ohne dass darum die Wahl und Gnade Gottes, an der alles gelegen ist, etwa hinfällig würde, soll doch das Volk gelehrt werden, bei sich zu prüfen und in Erfahrung zu bringen, ob durch Christus diese Wahl, dieser gnädige Wille Gottes bei ihnen angelegt und wirksam geworden sei oder nicht, mit andern Worten, es soll jedermann dazu kommen, zu wissen, was er von Christus wirklich empfangen habe und was ihm an Verständnis und Erkenntnis Christi fehle. Dies ist nichts anderes als Erneuerung des Herzens – der inwendige, geistliche, himmlische Mensch, der sündlos ist, soweit er aus Gott geboren ist und nicht an Fleisch und Blut hängt. Der Glaube ist eine gewissheitsvolle Versicherung des Herzens. Hier gilt nicht, wie in menschlichen Disputen, das Gesetz des Überredens.

Soviel über die Lehre Christi, deren Anfang sein Tod und seine Auferstehung ist. Im Tode Christi lernt man Erkenntnis der Sünden und wahre Busse – *Vergebung* der Sünden in der Erhöhung Christi, wenn durch den Glauben und die Gabe Gottes Christus im Geist die erwählten Herzen mit göttlichem Samen schwanger macht und aus dem unvergänglichen Samen zum Himmelreich himmlische Menschen gebiert: solche, die von Herzen anfangen, Sünde zu lassen und Gerechtigkeit und Frömmigkeit zu üben aus Erfahrung der Liebe Gottes im Glauben. Diese Lehre sollte in allen Predigten zum Zuge kommen.

Dies zum Artikel von der rechtschaffenen Lehre. Nun aber wollen wir auch noch ein paar Fragen um die Sakramente anschneiden.

KAPITEL 19

Von den heiligen Sakramenten und der Gemeindetaufe

Über die Sakramente machen wir uns folgende Gedanken: Wir möchten einander geflissentlich in Erinnerung gerufen und auf die Seele gebunden haben, dass wir alle, soviel an uns ist, doch ja gegenüber jedermann in der Liebe bleiben und uns erst recht der heiligen Sakramente wegen – solang man uns das Geheimnis, den Herrn Jesus, lässt und freilich auch wohl eben nicht so deutlich und dergestalt lässt, wie er sein müsste – in keinerlei Zank einlassen, um nicht durch Zank ihn überhaupt zu verlieren.

Denn uns zur Vollkommenheit dienen sollen die Sakramente, nicht fleischliche Sinnlichkeit aufbringen. Wann immer aber jemand uns gegenüber seine vorgefasste Meinung behaupten will, sollen wir uns fein säuberlich draushalten und die Rede auf die unbestrittenen Taten lenken, die durch den Heiligen Geist Christus in uns vollbringt, je nach dem Mass der Gnade, die Gott einem jeden jezuweilen verliehen hat. Man kann nämlich etwa die Kraft des Glaubens ins Gespräch werfen, das gute Gewissen, worin und wie lang es bestehe,

69

wie und warum es wohl auch zu Fall komme, inwiefern es ewig sei – den innerlichen Gang der Gnade und ihr Heranwachsen, und was dergleichen mehr ist. Wenn wir nur geflissentlich dem Zank zuvorkommen, soviel wir nur können, und nicht Glaubensartikel machen, mit denen einer den andern halftert und unter seine eigene Meinung bringt und zwingt. Sonst wird von neuem alles Leid und jeder Greuel angerichtet und unweigerlich allem Irrtum Tür und Tor geöffnet.

Es dünkt uns aber am sichersten, von den Sakramenten folgendermassen zu reden. Erstens wäre zu sagen, dass sie nicht Zeremonien, nicht Kirchenschauspiele sind, nicht «Chukkîm», wie der Hebräer das nennt; denn die waren Schatten und Abbilder des zukünftigen Christus, der jetzt bei seiner Gemeinde gegenwärtig ist und bei ihr bleibt bis an der Welt Ende. Nein, sie sind Geheimnisse Gottes oder Geheimnisse der Kirche Christi. Es wird durch sie den Gläubigen der Christus, der, im Heiligen Geist gegenwärtig, die Herzen schwängert und ausfüllt, von aussen her vorgetragen. Somit bitten wir den Allmächtigen, dass er bei uns das Zelebrieren der Sakramente zu einem wahrhaft göttlichen Tun mache und nicht Menschenwerk bleiben lasse: dass nämlich allemal das grosse Geheimnis, Gott im Fleisch, in uns drin lebe und aufwachse, sowie er von aussen her durch die Sakramente vorgetragen wird.

Nachher wäre zu sagen, dass wir über die Sakramente mit den Worten, die Gemeingut aller Zeiten sind und uns durch Christus zu Gott hin erbauen, reden und nicht einander mit Zänkereien bemühen sollen. Dafür haben wir beim heiligen Apostel ein schönes Beispiel, indem er nämlich an die Römer, die alle in Christus getauft waren, schreibt: «Lasset uns ehrbar wandeln als am Tage, nicht in Fressen und Saufen...

sondern ziehet an den Herrn Jesus Christus und tut nicht nach des Fleisches Klugheit, das seinen Lüsten nachkommen will.» Den Galatern hingegen schreibt er: «Nun aber der Glaube gekommen ist, sind wir nicht mehr unter dem Zuchtmeister. Denn ihr seid alle Gottes Kinder durch den Glauben an Christus Jesus. Denn wie viele von euch getauft sind, die haben Christus angezogen.» Was lesen wir da? Wird der Heilige Geist selbstvergessen? Er bittet die getauften Römer, sie möchten den Herrn Jesus anziehen. Bei den Galatern aber redet er ganz anders und sagt, alle Getauften hätten den Herrn Jesus Christus schon angezogen. Nun gut, daraus lernen wir, dass nicht auf die Redensart, die Wortwahl, den Ausdruck abzustellen ist, sondern auf das Gemeinte, demzufolge die Redeweise beibehalten oder abgeändert wird, je nachdem, wie es eben dann besserlich ist. Drum sollen wir die Wortzänker desto mehr meiden, je höhere Geheimnisse sie ihrem Zank einbrocken. Nein, wir sollen dann, wenn wir die Gemeinde zum Fortfahren ermahnen wollen – wenn uns vor Augen ist, was unsern schwachen Gemeinden fehlt –, mit Paulus sagen: «Ziehet den neuen Menschen an, ziehet die Waffen Gottes an, die Waffen des Lichts, bekleidet euch als die Auserwählten...», sowie: «Lasst euch antun mit der Kraft aus der Höhe», und viel Ähnliches mehr. Doch wenn wir bedenken, was wir Glaubende und durch die Christustaufe im Heiligen Geist Getaufte alle von Gott erlangt haben und uns auch sagen, dass die Liebe alles glaubt, so dürfen wir Getauften alle den Herrn Jesus Christus angezogen *haben* und daran etwa diesen Zuspruch knüpfen: «Liebe Brüder, zieht aber *weiterhin* den Herrn Jesus Christus an; denn bald einmal werden wir, wenn wir die Gnade Gottes in uns beschauen, auch unsern Mangel an unserem Fleisch bedenken, damit wir nicht der Selbstgefälligkeit erliegen!»

Es hat der Kirche je und je zum Verderben gereicht, dass jedermann etwas Neues lehren will und ihrer wenige sind, die den wahren Meister, den Heiligen Geist, hören. Demgegenüber haben wir vorhin die Einfachheit Christi beschrieben, in der wir mit Gottes Hilfe bleiben wollen. Damit wir in ihr bleiben, wollen wir alle Mittel, das heisst, die Sakramente – Taufe und Abendmahl – und das äusserliche Wort, ohne Vorwitz gebrauchen. Denn in allem sehen wir durch den Glauben einzig und allein auf unsern Christus, oder sollten's wenigstens, das wissen wir gut genug. Gott helfe uns, dem getreulich nachzukommen.

KAPITEL 20

Von der Taufe im besonderen

Die Kirche ist jene Gemeinschaft, bei welcher Christus wohnt und die er lebendig erhält im Sinn des inwendigen Menschen. Die Sakramente dieser Kirche sind nicht bloss äussere Zeichen, nein, sie sind zugleich solche Zeichen und heimliche Kraft Gottes in einem.

So tauft – bei der heiligen Taufe – der Diener mit Wasser und Christus zugleich mit seinem Geist. Das heisst, bei der Taufe unserer Kinder ist es so, dass wir sie durch unser Taufen dem äussern Menschen nach zur Gemeinde hinzunehmen in der guten Hoffnung, zu seiner Zeit werde bei ihnen nach seiner ewigen Güte auch der Herr sein Amt ausüben und sie im eigentlichen Sinn taufen: mit dem Heiligen Geist. Diese Kindertaufe halten wir – indem unser Glaube ja über das Äussere von Raum und Zeit hinausgreift – für ein echtes Sakrament. Dem gläubigen Menschen – der ja zur wahren Gemeinde Christi schon gehört – ist sie zudem *Erinnerung* an dieses Geheimnis.

Ja, unsere Kindertaufe ist ein Sakrament der Kirche und ein grosses Geheimnis Gottes, nicht bloss eine Zeremonie. Sind wir doch Christen, Leute mit einem Glauben also, den sie nicht mehr mit Abbildern und Schatten nur erst andeuten, sondern durch Sakramente als gegenwärtig darstellen und auffrischen. Gewiss, beim Kind ist das noch nicht in wirksamer Gestalt angelegt; aber in uns, die wir bei der Handlung zugegen sind, ist es das, und es ist uns auch bewusst, dass wir durchs Sakrament das Handeln Gottes abbilden so, wie es für uns und bei uns *angelegt* ist, und nicht als das, was es für Gott in Ewigkeit *ist:* ein Begrabenwerden mit Christus und Auferwecktwerden mit Christus. Aber wir haben drum doch aus Christus heraus die Freiheit, den zu taufen, den wir zu diesem Absterben durch Christus zu erziehen gedenken.

Einzig darauf ist unbedingt zu achten, dass wir, soweit es an uns liegt und unser Gewissen im Spiel ist, die Sakramente nicht ohne mitgegenwärtiges Geheimnis zelebrieren. Denn sie sollen Sakramente sein und bleiben und nicht als blosses Schauspiel betrieben werden.

KAPITEL 21

Von der Taufpraxis

Darum richten wir an den Taufpfarrer die Bitte und Ermahnung, er möchte sein Kirchenvolk daran gewöhnen, dass die Kinder am Sonntag, wenn die Gemeinde zugegen ist, zur Taufe zu bringen sind. Denn wie gesagt, sie ist ein Sakrament der Kirche oder Gemeinde – zwei Namen für eines: fürs Völklein der Gläubigen – und soll drum nicht ohne die mitanwesende Kirche vollzogen werden. Denn wenn die Kirche nicht mit dabei ist, ist die Taufe nicht ein Sakrament, sondern ein gewöhnliches Kinderbaden. Und wenn eine abergläubische Hebamme das Kindlein daheim im Haus nottauft gemäss der im Papsttum bräuchlichen Instruktion an die Hebammen, so sei dabei, wer will, aber eine Taufe ist es nicht. Denn die Hebamme hat keinen solchen Auftrag von der Gemeinde Gottes. Auch ist da ein falscher Glaube miteingemischt, indem angeblich das Kindlein, wenn nicht an seinem auswendigen Menschen getauft, ewig verloren sein müsste. Drum gibt es anderswo fromme Christen, die ihre Kindlein, wenn sie schwächlich sind und so gut wie sicher in ein, zwei Monaten sterben werden, nicht taufen.

Nötig ist die Taufe vorab der christlichen Gemeinden wegen, die sich nur erst auf zukünftige Hoffnung hin mit dem Kindlein einlassen.

Damit wir eine einheitliche Praxis bekommen, möchten wir beliebt machen, dass wir die Taufe nicht ausserhalb des Gotteshauses oder mitten in seinem Innern vornehmen, sondern ganz beim Taufstein, und dass das Kindlein eingewickelt bleibe, nur das Köpfchen getauft werde. Denn wollte man so ein zartes Fleischlein, das noch vom Mutterleib rot und an Wind nicht gewöhnt ist, ins kalte Wasser stossen und vom kalten Wind anwehen lassen, würde daraus mancherlei Krankheit erwachsen. Dabei soll sich niemand drausbringen lassen von der alten Auffassung, wonach das Kindlein um der Taufbedeutung willen dreimal sogar *unter* Wasser zu stossen sei. Denn das sind alles Menschengedanken. Wollte man so vorwitzig das Äussere der Bedeutung wörtlich nehmen, so dürften wir auch nicht in geschöpften Wassern taufen, sondern müssten 40 Mass Wasser haben, die die Juden gemäss der Vorschrift ihres Talmuds «Satâ» oder «Saîn» nennen. Desgleichen müssten es, um der aus dem Propheten Jesaja stammenden Bedeutung willen, lebendige, fliessende Wasser sein, indem die inwendigen Wasser lebendig sind, in einem fort aufsprudelnd ins ewige Leben.

Aber wo bliebe da unsere Freiheit. Wie würden wir unverhältnismässig mit den Äusserlichkeiten bemüht und am Anschauen von Gottes ewigem Handeln, das im Glauben vor sich geht, gehindert. Darum, liebe Brüder und Mitdiener am heiligen Evangelium Christi, wollen wir mehr auf unser vornehmstes Amt, die Verkündigung unseres Herrn Christus, sehen als uns von den um Nebensächliches kreisenden Phantasien unruhiger Menschen beschweren lassen, die es ja gut meinen, aber die Einfältigen zu einem abergläubischen Überbewerten der äussern Handlungsformen bringen.

So sind wir denn darauf bedacht, in unseren Taufangelegenheiten bei einheitlicher Praxis zu bleiben. Wir wollen nicht, wie es etliche zum Brauch haben, sagen: «Ich bin frei, drum will ich taufen, wie's mir gefällt, was gehn mich andere an!» Nein, so nicht, liebe Brüder. Gewiss ist ein Christ frei, aber er nimmt auf jedermann Rücksicht und möchte nicht jemanden unruhig machen oder ihm irgendwie Anstoss geben. Wir sind frei, aber Diener der Gerechtigkeit und jedermanns Knecht um Christi willen. Was ist das aber für eine christliche Liebe, wenn ich in Äusserlichkeiten mich nicht einer ganzen Stadt, einem ganzen Land fügen und anpassen kann? Doch hoffen wir, es werde niemand so schnöd sein, sich eine Extratour herauszunehmen.

Weil aber die Taufe ein heiliges Sakrament der christlichen Kirche ist, wollen wir, dass sie mit Ernst und persönlichem Einsatz vorgenommen werde. Es soll eine Schriftstelle über die Taufe verlesen und ausgelegt und dabei die eigentliche Christustaufe erläutert werden: die im Heiligen Geist geschehende, durch welche Christus Erneuerung wirkt und von oben herab Kinder Gottes gebiert ins ewige Leben. Dann folge ein schickliches Gebet und die Ermahnung, es möchten die Umstände *ihre* Taufe vor Augen haben und sie durch Absterben am Fleisch und Auferstehen nach dem Geist in ihnen je länger je vollkommener machen.

Nunmehr werde mit Ernst und persönlichem Einsatz und nicht so liederlich und lächerlich wie im Papsttum die Taufe vollzogen. Denn noch einmal: Sie ist nicht eine Zeremonie, sondern ein ernstes, hohes Sakrament und Geheimnis Gottes.

KAPITEL 22

Vom Abendmahl des Herrn

Beim Abendmahl hat man sich neu zu vergegenwärtigen, was im vorhergehenden von den Sakramenten und der Gemeindetaufe gesagt ist. Das Abendmahl des Herrn ist ganz Sache der Gläubigen.

Auch im Brotbrechen des Herrn liegt ein Sakrament vor, keine leere Zeremonie. Es trägt den Gläubigen «den Leib Christi Jesu, der für uns gestorben ist», und «das Blut...» vor. Dieser Leib, dieses Blut Christi ist uns im Heiligen Geist Speisung und Tränkung innerlich. Wie den verderblichen Leib durch den Mund hindurch das vergängliche Brot speist, der Wein tränkt, so umfasst der Glaube, vom Zeitlichen ins Ewige emporschauend, zwei Vorgänge: das äussere Brotbrechen und die inwendige Seelenspeisung. Drum *sind* der Leib Jesu Christi und sein wertes Blut im Abendmahl, aber nicht so, wie es der alte Irrtum vorgab: dass der leibliche Leib im Brot, das leibliche Blut im Wein drin stecke. Daraus folgt, dass es ein Sakrament der Gemeinschaft und Vereinigung ist, trägt es doch dem Glauben den Leib Christi vor, dessen Glieder wir alle sind als solche, die «Fleisch von seinem Fleisch und Bein von seinem Bein» sind, gemäss dem Spruch: «Das Brot, das wir brechen, ist das nicht die Gemeinschaft des Leibes Christi? Denn... wir viele sind *ein* Brot und *ein* Leib, weil wir alle *eines* Brotes teilhaftig sind.»

Von daher lässt sich unschwer verstehen, was das sei, den Leib des Herrn «unterscheiden». Nämlich, den Leib, durch den wir gespeist werden – und dass wir Gemeinschaft haben. Wer nun sich nicht prüft, unter die Lupe nimmt, wer sich für etwas Höheres hält und in seinen Augen mehr ist als andere, der ist einer, der den Leib Christi nicht unterscheidet. Solang er noch so auf seinem Ich besteht, fehlt ihm die Gemeinschaft des Leibes Christi, und das Essen ist ihm wie ein anderes, gewöhnliches Essen, ohne Geheimnis und ohne Christus, und so isst er sich's «zum Gericht». Straft bei andern Christus durch seinen Geist das weltliche Sündenfleisch, so straft er es bei diesem noch nicht: weil er noch nicht bei ihm ist.

Was das Technische betrifft, so gilt als richtig, dass wir Oblaten brauchen und, sollte jemand keine kleinen haben, er grosse nehme und die säuberlich in kleine Stücke schneide. Auch solle gepredigt werden, ein jeder möge des Herrn Brot und den Kelch in die Hand nehmen, das sei schicklicher, als es sich eingeben zu lassen. Doch möchten wir, falls jemand Hemmungen hätte, das ihm Ungewohnte zu tun, ihm das Brot in den Mund legen und mit dem Kelch ihn tränken, bis diese Hemmung von selbst von ihm abfalle.

Auch haben wir zum Brauch, dreimal im Jahr – an Ostern, Pfingsten und Weihnachten – Abendmahl zu halten. Damit ist nicht eine Bindung an Zeiten gemeint. Nein, niemandem ist damit eine Last aufs Gewissen gewälzt in der Art, wie der Papst bei Todsünde befohlen hat, einmal im Jahr, an Ostern, das Sakrament zu nehmen. Doch könnte sich ein jeder leicht selbst die Rechnung machen, wieviel Glaube und Liebe etwa bei dem sei, der sich ohne besondere Verhinderung einer frommen, einfältigen Gemeinde nicht anpassen will.

Das Abendmahl soll mit Ernst gefeiert werden, liegt doch das ganze Handeln Gottes in ihm beschlossen. Drum soll dieses Geheimnis erklärt werden unter Verlesen einer dazu dienlichen Schriftstelle, vorab der Abendmahlsworte des Herrn, nach der Beschreibung des Apostels und der Evangelisten. Dem soll ein wohlbedachtes, andächtiges Gebet folgen.

Dann die Austeilung von Brot und Kelch. Nachher eine Danksagung, jeder so, wie sich's ihm dann just schickt. Es sollen auch diejenigen gemeldet werden, denen diese himmlische Speise nicht zusteht: die, welche nicht vom Himmelreich sind. Paulus zählt sie in 1. Kor. 6 und anderswo auf.

Nun sollen und wollen wir bei dem Tiefstand der Dinge, die bei uns erst in den Anfängen stecken, mehr auf die inwendige Erbauung, die vor Gott Bestand hat, sehen, als aufs Äussere. Drum werden wir, sofern dieses seine Sache recht macht, uns mit dem Chorgericht begnügen und nicht so bald jemanden auch noch in den Bann tun wollen. Denn im Chorgericht mögen sie die ärgerlichen Sünder stellen, die Gemeinde vor bösen Beispielen bewahren und dem Missetäter durch die Strafe Gelegenheit geben, seinen bösen Wandel aufzugeben.

Daneben sollen wir recht fleissig brüderliches Strafen üben einem jeden gegenüber. Auch liegt es in der Natur der Dinge, dass die Böswilligen sich durch ihr feiges, schändliches Leben selber von uns absetzen; sie sind gar nie recht bei uns gewesen. Sollten diese je mit Worten und Werken dem Evangelium feind sein und trotzdem einen Platz am Tisch des Herrn beanspruchen wollen, so wird jeder Diener Gottes, der seinen Dienst mit Eifer und von Herzen tut, zur Ehre seines Herrn von selber alle billigen Mittel und Wege abwägen, um sich nicht sträflichen Unfleisses schuldig zu machen.

KAPITEL 23

Vom Gebrauch des Gesetzes und der Propheten

Wirklich sind, wie wir nun klar sehen, unsere Sakramente grosse Geheimnisse Gottes und nicht blosse Zeremonien, und geht uns Mose mit seinen Zeremonien und Geboten nichts an. Ein Christ soll denn auch nicht an Mose und die Propheten zurückverwiesen werden, soll nicht der Art und Gattung Moses und der Propheten nachschlagen müssen. Nein, der Christ wird ermahnt, er möge fort und fort zunehmen im Erkennen Jesu Christi.

Heisst das aber, wir hätten also die Bibel nicht nötig und sollten keinerlei alttestamentliche Schrift predigen? Einer solchen Einrede würde Paulus entgegenstehen mit seiner Ermahnung an seinen Jünger Timotheus: «Bleibe in dem, was du gelernt hast. Weil du von Kind auf die Heilige Schrift weisst, so kann dich die unterweisen zur Seligkeit durch den Glauben an Christus Jesus. Denn alle Schrift, von Gott eingegeben, ist nütze zur Lehre, zur Strafe, zur Besserung, zur Züchtigung in der Gerechtigkeit, dass ein Mensch Gottes in seinem Wandel zu allem guten Werk geschickt sei.» So weit der Apostel. Er will, dass Timotheus im Glauben an Christus bleiben *und* sich der Schrift bedienen soll usw. Entsprechend mögen auch wir fünffachen Anlass finden, die Schrift zu gebrauchen.

Erstens: Die Schrift – nämlich «das Gesetz und die Propheten» – «unterweist uns zur Seligkeit», das heisst, sie führt uns zu Christus und lehrt uns ihm als dem Heiland glauben zum Heil und zum ewigen Leben. Denn durch seine Gebote, die anzeigen, wie wir sein sollen, und den Tod androhen, wenn wir nicht so sind, wird Mose nur eben ein Verlangen wecken nach Ihm, der den Gottlosen gerecht macht und dem inwendigen Menschen gibt, dass er nicht mehr sündige. Welch grosse Weisheit ist es doch, aus dem Gesetz und den Geboten, die uns auf Gott hin ausrichten, zu erkennen, dass wir ohne fleischliche Begierde sein sollten. Wer ist nun so durchs Gesetz? Niemand. Drum macht es uns weise und klug, das Heil durch den Glauben an Christus zu erlangen, der im Heiligen Geist erstens das Wort vom Kreuz anbietet, das die Begierde tötet, und zweitens das Wort des Lebens oder die Kraft der Auferstehung, was uns geistlichen, himmlischen Sinnes werden lässt. So ist das Gesetz für den, der von ihm rechten Gebrauch macht, etwas Gutes. Dass es das werde, dazu sind die Stiftshütte, der goldene Leuchter, der Tisch, die Schaubrote, die Bundeslade, das Heiligtum lauter dienliche Abbilder, wie auch die Opfer und aller Dienst Moses samt und sonders, durch den offenbar wird, dass ganz und gar nichts Gutes in uns, nämlich in unserm Fleisch, ist. Lehrt er uns doch in den beiden Geboten, die Gott und den Nächsten betreffen, was uns an Frömmigkeit gegenüber Gott und unsern Nächsten fehlt. Das Kreuz und die Auferstehung Christi lehrt er am Beispiel des ganzen Volks, das in tiefster Erniedrigung erhöht wird und das zeitliche Heil erlangt genauso, wie wir, wenn wir an Christus glauben, durch wahre Busse das *ewige* Heil erlangen. Nichts anderes beinhalten all die Propheten. Sie alle sind nur eben Erläuterung und Auslegung Moses, mit Historien dabei, die Schattenbilder der Erlösung in Christus sind.

Ihn hat der Heilige Geist in allen Schriften Moses und der Propheten letztlich im Auge, und um seinetwillen hat alles Wirken Gottes in der Aussenwelt einen Verlauf ganz analog dem Gang der Gnade, wie ihn inwendig der Geist Christi vollführt. Von da aus versteht man, was der Herr meint, wenn er in Joh. 5 sagt: «Wenn ihr Mose glaubtet, so glaubtet ihr mir; denn er hat von mir geschrieben», oder auch: «Suchet in der Schrift, denn ihr meinet, ihr habt das ewige Leben darin; und sie ist's, die von mir zeuget; aber ihr wollt nicht zu mir kommen.» Daraus folgt, dass der die Schrift noch nicht versteht, der in seinem Schriftverständnis nicht ein Zeugnis, einen Zugang, ein Erinnertwerden findet hin zu Christus. Aber wenn wir unsrer Unwissenheit wegen den Christus im angedeuteten Ausmass nicht in allen Schriftstellen zu erfassen vermögen, sollen wir's uns dennoch nicht bedrücken lassen; denn der Heilige Geist in uns wird uns immer weiterhelfen. Und weil wir in allen unsern Predigten einzig und allein Christus vortragen sollen, so müssen wir jedesmal einen bekannten Schriftabschnitt bringen, der uns Christus vor Augen malt, und nachher in andern Stellen, wo uns Christus noch nicht aufgeht, sonst etwas Gutes suchen. Denn die Schrift «ist nütze zu allem Guten». Wer etwas Gutes in der Schrift findet, dem ist etwas von ihrem Sinn aufgegangen.

Zweitens ist die Schrift «nütze zur Lehre». Diese Lehre ist die Erkenntnis der Früchte, Gaben und Gnaden, die aus dem Kreuz fliessen; und der Sinn für die himmlischen Güter wird uns schon zuteil werden, wenn wir mit der erwähnten Einübung in Christus weiterfahren.

In diesen Zusammenhang gehören die zeitlichen Verheissungen, die wir im Sinn der Frömmigkeit, aus Christus heraus, geistlich herausstellen sollen und erst nachher zeitlich: sofern der Geist Christi bei uns zuvor das höhere Amt ausgerichtet hat. Hat er das nicht, so ist zu befürchten, dass wir unter Umständen viel Verheissung neben und ausserhalb Christus einführen, aus der nichts wird. Damit kommt an den Tag, dass wir nicht Apostel, nicht wahre Propheten sind. Sind wir doch über der Lüge ertappt und ergriffen gleich jenen, die die Bauern mit dem Spruch vertröstet haben, sie wollten sich die Büchsenkugeln in den Ärmel stossen und auf ihren Feindhaufen abfeuern durch ihren Glauben. Doch sind die Bauern schlimm geschlagen worden, und sie, die falschen Propheten, haben nichts von alledem wahr gemacht. Drum sollen wir Diener des Geistes alles geistlich deuten, wie es in Christus geistlich und wahr ist.

Drittens, «zur Bestrafung» der Irrtümer. Denn wohl sind wir durch den Glauben zu einigem Wissen gekommen, aber voll Finsternis und Unwissenheit sind wir immer noch. Doch soll man gegen den Irrtum die Schrift allemal im Sinn des Glaubens an Christus heranziehen, nicht sie einfach dem toten Buchstaben nach benützen, wie das etliche zum Brauch haben.

Viertens dient sie «zur Besserung». Die Historien und Abbilder, auf uns bezogen, enthalten kräftige Ermahnung.

Fünftens «zur Züchtigung in der Gerechtigkeit», nämlich zum Bestrafen der Laster, damit wir von ihnen abstehen und vor Gott fromm werden. Hiebei ist das Augenmerk auf das zu richten, was unrecht sei vor Gott, und darauf, dass wir der Sache, die wir aufgrund der Propheten strafen wollen, sicher seien. Sonst, wenn wir sagen würden, «so spricht Gott, und das will er von uns haben», und dabei gäbe Gott durch nachfolgende Werke zu verstehen, das Gegenteil sei ihm wohlgefällig, machen wir uns zu falschen Propheten. Denn daran erkennt man einen falschen Propheten: «Wenn er etwas redet im Namen des Herrn, und es wird nichts daraus und kommt nicht so, das ist das Wort, das der Herr nicht geredet hat» (Deut. 18). Solchen Propheten ist weiter vorn, im Kapitel 13, der Tod angedroht. Auch sollen prophetische Strafen in unsern christlichen Herzen mit dem Geist Christi gekocht und gemildert werden, damit sie je und je eine alle Schärfe durchdringende Liebe mitbringen, durch die die Bitterkeit der Strafe gemildert wird.

So mögen wir immer von der Schrift Gebrauch machen, auch wo wir sie noch nicht bis auf ihren Grund verstehen, das heisst, wo wir noch nicht Christus in ihr haben finden können. Denn der Geist Gottes lehrt alles Gute, alle guten Sitten und anderes mehr. Unser einziger Gedanke, liebe Brüder, soll der sein, dass wir unsern Auftrag, die Christus-predigt, treulich ausrichten.

KAPITEL 24

Vom Polemisieren gegen das Papsttum, in den Predigten

Andererseits sollen sich die Pfarrer in den Locis communibus Pontificiorum, das heisst den geläufigen Belangen der Päpstlichen Kirche, gut auskennen und sie in ihren Predigten im Anschluss an die Darstellung des Herrn Christus gemäss obigem Artikel ablehnen, kurz und bündig, Punkt für Punkt, alle miteinander, aber nicht alle in *einer* Predigt: nein, es soll mal die, dann eine andere Verführung widerlegt werden, wobei jeder Pfarrer eine Ordnung in die Sache bringen soll. Obwohl der Papst in Unserer Gnädigen Herren Herrschaft und Gebiet zu Stadt und Land äusserlich abgetan ist, bleibt es eben doch nötig, die armen Leute deutsch und deutlich zu unterweisen, damit ihr Gewissen nicht verwirrt und beirrt werde. Damit wir uns auch ja verständlich machen, setzen wir den Fall, ein Pfarrer hätte über den Vers gesprochen, «Christus ist das Haupt der Gemeinde, und seines Leibes Heiland», und hätte aufgezeigt, wie die Gemeinde Christi ein innerlich-geistliches Volk sei, das der lebendige wahre Christus selbst im Heiligen Geist regiere und sowohl selig wie heilig mache ohne Vermittlung irgendwelcher Kreatur. Da liesse sich flugs dieser Nachsatz anhängen: «Drum ist es eine Verleugnung Christi, zu sagen, der Papst sei ein Statthalter Christi; denn Christus selber ist gegenwärtig und hängt an der Kirche oder Gemeinde, wie das Haupt den Gliedern anhängt, denen er selbst das Leben, die Kraft und den Geist eingiesst. Von daher wird offenbar, wie all das, was der Papst als Statthalter Christi mit all seinen Satzungen und Verboten unternommen hat, vom Teufel und wider Christus, unsern Heiland, ist...» Das mag mehr oder weniger wortreich geschehen und unter Nennung eines besondern Artikels wie Messe, Beichte usw., wie sich's jeweils just ergibt.

KAPITEL 25

Vom Ermahnen und Strafen

Es soll also aus den Pfarrern der Heilige Geist reden, das Heil der Welt, unsern Herrn Jesus Christus, ansagen, der Geist, der zu Gott führt und die Welt wegen der Sünde straft. Somit sollen die Pfarrer in allen Predigten den Mahnruf hin zu Christus und den Früchten der Gerechtigkeit ergehen lassen und anschliessend die Welt wegen der Sünde strafen: nicht nur wegen äusserlicher Sünden und grober Laster, die allerdings ernstlich anzugreifen sind, sondern auch die heimlichen, verborgenen, geistlichen Tücken des Fleisches, wie Selbstgefälligkeit, Scheinheiligkeit, geistlicher Hochmut, Verrat an der Bruderliebe, Unfreundlichkeit und was dergleichen mehr im Herzen gegen Gott wütet. Damit soll ein jeder nach Massgabe seines Glaubens gestraft und gebessert und die Gemeinde dazu ermahnt werden, auf den Brunnquell und Ursprung, nämlich auf das Herz und die heimlichen Gedanken zu sehen und diese zu bessern.

Dabei muss es so sein, dass der Prediger nicht aus menschlichen Gründen, sondern aus ewiger Wahrheit heraus, als wie vor Gott und im Angesicht unseres Herrn Jesus Christus, straft. Das wird zur Folge haben, dass er immer nur aus herzlicher Liebe, mit der sein gottergebenes Herz durch Christus übergossen ist, straft und im Rahmen dessen bleibt, was bei den Zuhörern aufbauend wirkt. Soll doch in der Kirche alles zur Besserung geschehen und nicht aus fleischlichem Eifer oder Zank, wie es leider oft vorkommt, dass die, die sich mit dem Auftrag Christi brüsten, sich selbst predigen, ihrem Unwillen gegen die ihnen Missliebigen Luft machen, an ihnen ihr Mütlein kühlen und Anlass dazu geben, dass ihr Amt mit Recht pro Cathedra ecclesiae (statt Lehrstuhl der Kirche) Cathedra impudentiae (Lehrstuhl der Unverschämtheit) genannt wird.

Keinerlei Bitterkeit soll in das Herz kommen, das es unternimmt, den freundlichen Christus zu verkündigen, sondern die Liebe Gottes soll ausgegossen sein in solch ein Herz durch den Heiligen Geist, der ihm gegeben ist und zu dem es die

Zuhörer hinweisen soll. Ist nun die Strafe nicht nach göttlichem Willen aus der Erkenntnis Christi geschöpft, die Schärfe der Strafe nicht mit Herzlichkeit und Liebe gemischt, und spürt nicht jedermann, dass einzig und allein die Ehre Gottes und die Seligkeit der Zuhörer angestrebt wird, so läuft die Sache nicht christlich. Das gestehen und bekennen wir unserm Herrn und Gott zu Ehren, den wir hiermit bitten, er möge unsere Herzen und Zungen mässigen und geben, dass wir die Mitte treffen. Denn überhaupt schweigen oder die Laster zu gelinde angreifen wollen, geht auch nicht. Wer nur einzig auf Gottes Urteil sieht, weiss nach dem Gesagten schon, woran er ist.

Die Redeweise beim Strafen soll nicht leichtfertig und weltlich, sondern inständig, nachdrücklich und ehrbar sein, damit nicht die Herrlichkeit Christi, die der Welt die Strafe wegen der Sünden frei heraus ins Gesicht sagt, verkleinert werde.

Es ist ja so, dass sich alles, was Christen in der Kirche tun, soll sehen lassen dürfen. Wenn dagegen etliche von uns gar abgeschmackte, ungesalzene Reden führen, die von züchtigen Ohren wohl schwerlich ohne Scham vernommen werden können, so ist das ungehörig. Drum möchten wir einander treulich ermahnt und gebeten haben, dass wir nüchterne und rechtschaffene Reden führen, die in den schwachen Gemütern etwas aufbauen und nicht etwas niederreissen helfen.

KAPITEL 26

Wen man strafen soll

So sollen nur die anwesenden Zuhörer angeredet und gestraft werden. Denn was hilft es, in Stadt und Land Unserer Gnädigen Herren von Bern Kurfürsten und Fürsten anzugreifen, die mit uns nichts zu tun haben, mit unserer Kirche nicht sich zu befassen gedenken? Paulus sagt: «Es soll in der Kirche alles zur Besserung geschehen» (1. Kor. 14). Welche Besserung schaut nun heraus, wenn man vom Leder zieht gegen den Abwesenden und die anwesenden Leute, die so sehr der Lehre und Strafe bedürften, mit solchen unnützen Worten hinhält! Es ist gerade, wie wenn man einen Toten zum Bad trüge und den Kaminfeger in seinem Russ und Unrat verderben liesse. Er, der des Bades bedürfte, bleibt unbeachtet. Dem andern, dem toten Leichnam, bringt die Badestube nichts ein, ausser dass er von der Hitze um so eher stinkend wird. Genauso verhöhnen wir mit unsern hitzigen Zungen die fremden Leute, lassen aber unsere anwesenden Zuhörer, denen wir durch bekömmliches Strafen sollten dienen wollen, in ihrem fleischlichen Wohlgefallen stecken. So richten wir, wenn wir uns nicht nach der Regel Christi verhalten, Schaden über Schaden an. Denn solches bittere Reden über Abwesende erbittert zudem das Volk unsrer Zuhörer und treibt es in einen überheblichen Richtgeist. Es hat dann keinen Blick für seine eigene Besserung, sondern wendet seine Klugheit ans Sachverständigsein in Lastern anderer Leute. Drum soll man über Abwesende nicht reden, höchstens dann, wenn es einem eventuellen Schaden zuvorzukommen gälte, der eben jetzt von Auswärtigen in zeitlichen oder geistlichen Dingen zu befürchten wäre, oder so, dass es mit zwei, drei Worten geschähe, beiläufig und beispielshalber, um unsre frommen Zuhörer vor ähnlich gottlosem Wesen zu bewahren.

Den Papst aber dürfen wir nicht vergessen, denn seine Gewalt macht ihn bereits zu einem Anwesenden, der viele Gewissen im Innersten irr und unruhig macht. An sich könnten wir ihn gut links liegen lassen, weil wir Nötigeres zu tun haben, als uns mit seinen unsauberen Satzungen abzugeben. Doch ist es unsre Schuldigkeit, dass wir das, was den göttlichen Tempelbau behindern will, abwenden.

Wir sollen also beim Predigen die, die draussen sind, höchstens in dem Fall erwähnen, dass jemand auf den Plan träte, von dem wir in Zukunft irgendeinen Schaden für unsre Gemeinden zu befürchten hätten. Da muss gewarnt, nicht geschwiegen werden, auch wenn solches Reden unsre Feinde, die wir also der Not gehorchend aufregen müssen, aufs höchste aufbringt. Denn hier ist dann die Not Gebot. Doch ist es nicht schwer, die Bösen, die sich selbst suchen, von den Frommen und Gottesfürchtigen zu unterscheiden.

Wie ist es doch bei Paulus: Er führt ja, in der erwähnten Art, die falschen Apostel an, den Hymenäus, Alexander den Kupferschmied, die nicht anwesend waren, und warnt vor ihnen, damit die frommen Gemeinden Gottes, falls jene in Ephesus an sie gelangen sollten, sich vor ihnen zu hüten wüssten. Daneben führt er häufig die guten Beispiele der Gläubigen, die es bei andern Kirchen gab, an, um die Leute zur Busse und Besserung anzuspornen. Böse Beispiele gibt es allenthalben genug, so dass man sie nicht weit zu suchen braucht; aber nicht überall sind ebenso zahlreich die guten zu finden. Drum ist es nötig, dass nichts von allem Guten, das von anderswo wohnenden Gläubigen getan wird, verschwiegen bleibt. Das hindert nicht, dass etliche das Gegenteil tun, jedermanns Schande entdecken und bei niemandem auch nur irgend etwas Rühmenswertes finden können. Mag sein, dass auch das doch nur in guter Absicht geschieht, nämlich, dass man mehr darauf aus ist, wie man, wachsam, Arges verhüte, als wie man durch Christus Gutes in den Herzen aufbaue. Aber eigentlich ist doch dieses *Aufbauen* die Sache der Christen.

KAPITEL 27

Dass man die Wahrheit – ohne Anlehnung an eine zeitliche Anhängerschaft – aus der Schrift und nicht aufgrund obrigkeitlichen Befehls zu sagen habe

Auch sollen die Pfarrer beim Schneiden mit dem Schwert des göttlichen Worts gleiches Recht üben und niemanden verschonen, es sei Frau oder Mann, Herr oder Knecht, Freund oder Feind, Höherer oder Untertan; nein, sie sollen frei heraussagen, was sie nach dem Gotteswort für der Besserung dienlich halten, es gefalle oder missfalle, wem es wolle. Aber sich selbst einen fleischlichen Anhang schaffen oder durch schlaue Machenschaften Grund zu Parteiungen liefern sollen sie nicht; denn Gottes Dinge sollen einfältig und direkt, ohne alles Wanken und ohne Seitenblick auf menschliches Urteil verrichtet werden.

Freilich ist auch das nicht in Ordnung, dass etliche, wie man sagen hört, einzig und allein Euer Gnaden Gewalt predigen – «das und das haben sie, die Herren, für gut erkannt und befohlen, drum sollen's die Untertanen glauben und sich dran halten» –: Da käme es dazu, dass der Unmündige in den göttlichen Belangen mehr auf euch Gnädige Herren als auf Gott selber sieht – was ja ein Hauptstück des Papsttums ist. Denn der Glaube sieht einzig und allein auf Gott. Er kommt aus dem lebendigen Wort Gottes und der Erleuchtung des Herzens und hängt nicht an unsern Gnädigen Herren oder am Urteil irgendeines Menschen. Denn der Gerechte lebt seines Glaubens.

Man würde es denn geziemenderweise so sagen: «Es hat eine löbliche Herrschaft zu Bern, unsere Gnädigen Herren, das Evangelium angenommen und die Messe und anderes aberkannt, wovon sich gezeigt hat, dass es zu der und der Schriftstelle, zu den Glaubensartikeln und zum Verständnis Christi im Gegensatz steht. Dass es so ist, versteht ihr jetzt selber. Ihr könnt es nicht abstreiten; denn da ist diese sonnenklare Schrift und dieses ewige Christusverständnis, zu dem die Schriften beider Testamente stimmen, des Alten wie des Neuen.»

Drum sollt ihr Gott bitten, er möchte euch dafür das Verständnis und das Herz immer noch weiter öffnen. Wir sollen uns nicht unterstehen, unsere Gnädigen Herren an die Stelle des Papstes zu setzen, der die Gewissen geknechtet hat. Das hiesse sich zu sehr auf unsere Gewalt und auf die zeitliche Obrigkeit stützen.

KAPITEL 28

Dass kein Pfarrer sich den einfachen Mann
zum Anhänger machen soll

Die andern reden viel zu scharf gegen die Regierung, besonders in deren Abwesenheit, wo das ganz unnötig und frucht-
los ist (während sie, wenn die Regierung zugegen ist und *dann*
die Wahrheit bezeugt werden sollte, plump schmeicheln und
liebedienern). Das tun sie, weil sie sich den einfachen Mann
zum Anhänger machen wollen, der es gern hört, wenn man
andere Leute, vorab seine Höheren, verlästert und in den
Dreck zieht.

Kurz und gut, es ist keins von beiden recht. Ein Diener
Christi hat sich niemanden zu unterwerfen, weder Untertanen noch Obrigkeiten, und hat sich nicht selbst gross aufzu-
lassen. Vielmehr ist es die Pflicht und Schuldigkeit der Prediger und Diener des Worts, dass sie die Gläubigen ohne alles
Schielen auf sich selber ganz ihrem Herrn Christus zuführen.
Leider möchten wir aber Liebkind sein und uns bei niemandem verhasst machen. Wie wir sehen, hat Paulus das nicht getan. Ihm war es ein Geringes, sich von den Korinthern oder
einem menschlichen Gericht richten zu lassen. Drum hängt
alles daran, dass die Prediger mehr auf den ewigen Rat Gottes
sehen und lieber aus Gottes Mund das reden wollen, was am
Jüngsten Tag vor dem wahrhaftigen Richter bestehen möge,
als das, was der gegenwärtigen Welt hübsch in den Kram passt
und die fleischlich-geilen Ohren gar verlockend herbeikitzelt.

Wo des Redners Herz aufrichtig ist, da geht es mit rechten
Dingen zu und hält man Ordnung. Da ist seine vornehmste
Sorge die, wie Christus gross werde beim inwendigen Men-

schen, und wie sich bei der Gemeinde herzliche Frömmigkeit einstelle. Dieser Sorge entspricht bei ihm das Mahnen zu den Tugenden. Erst in letzter Linie straft er, aber nicht strenger, als wie ihn der Geist Christi in ihm treibt, und wie er selbst den Christus erfahren und vorher mit Worten dargestellt hat. Drum will sehr darum gebeten sein, dass der Herr für rechte Arbeiter in seinem Weinberg sorgen möge.

KAPITEL 29

Wann dem Sünder mit Schärfe und wann mit Milde zu begegnen sei, ist bei Gott zu lernen

Es kommt oft vor, dass man rauh dreinfahren muss – ab und zu ist besonders freundliche Ermahnung anzuwenden. Jetzt übt man Schonung, jetzt greift man scharf zu: beides um Gottes willen. Samuel wollte den Saul, den Gott verworfen hatte, nicht vor dem Volk der Schande preisgeben. Elia aber schalt und strafte Isebel samt allen Baalspfaffen öffentlich mit Salz und Pfeffer. Der eine wie der andere tat das ihm von Gott Befohlene, und doch ist der eine gelinde, der andere sehr herb und streng, und das beidemal gegenüber verworfenen Sündern.

Was einem jeden jeweils gezieme, lässt sich nicht gut in Regeln fassen und vernunftmässig ausrechnen. Es gehört ein geistliches Urteil dazu, das sich wohl schon einstellen wird, wenn wir von ganzem Herzen den Willen Gottes zu tun begehren (Joh. 7).

Solches Begehren wird von Gott erhört, und er gibt, was je und je not ist, ungeachtet aller Anfeindung, die das möglicherweise nach sich zieht.

KAPITEL 30

Ermahnung an die Obrigkeit zu Bern, unsere Gnädigen Herren (Apostrophe)

Sollte nun gegen euch, Gnädige Herren – gegen euch selber oder auch gegen die Landvögte im Land –, etwas Hitziges und Hochmütiges gesagt werden, so wird es euch zu Ruhm und Ehre gereichen, wenn ihr euch darüber gar nicht beschwert, vielmehr euch vor Augen haltet, in wessen Befehl und Namen der Pfarrer oder Prädikant redet. Er trägt nämlich das Wort Jesu Christi vor, als ein Bote und Gesandter seines Herrn, von dem es für gut zu nehmen ist. Gott will die Weisheit unserer Welt auf mancherlei Weise brechen, auch wohl durch einen einfältigen, ungelehrten Menschen, so einen unbedeutenden Dorfpfarrer. Da leistet ihr Glaubensgehorsam, wenn ihr's mit aller Geduld über euch ergehen lasst als etwas von Gott euch Angetanes euch zur Besserung.

Es soll auch Euer Gnaden nicht so bald der Gedanke anfechten, man könnte eurem Ansehen zu nahe treten. Denn mit unsrer Natur steht es so, dass jeder mit seinen Mängeln gern sich selbst recht gibt und Strafe, auch wenn sie verdient und billig ist, mit Verdruss annimmt. Es hat niemand gern unrecht. Dazu kommt, dass eine Obrigkeit wegen ihres hohen Standes sehr schlechtberaten dasteht, weil ihr fast jedermann vornherum liebedienert und das, was sie gern hört, sagt, aber nicht jeder in seinem Herzen es auch so schön und gut meint, wie die Worte vorgeben, ja, der nicht fehlt, der ihr Arges wünscht und mit arger *Tat* nachdoppeln möchte. Drum «ist eine öffentliche Strafe besser als heimliche Freundschaft. Und eine Wunde von Freundeshand bringt bleibenden Nutzen, aber die Küsse eines Feindes bringen Verderben». In allem will das Herz des Redners angesehen sein. Wirklich, viel besser ist doch ein Lästerer, der die Obrigkeit in ihrer Gegenwart zu Unrecht belastet, als ein Freund, der zu allem Tun ja sagt. Denn dieser macht, dass sie in selbstbetrügerischer Weise ihres Tuns sicher ist, jener aber lässt die Augen wachsam und lauter werden, so dass eine Herrschaft an Umsicht gewinnt und um so aufrechter handelt. Wie ehrenvoll ist es, wenn eine Obrigkeit grossmütig geringachtet, was gegen sie geredet wird, und nicht alles kreuzübel nimmt; und wenn – falls der öffentliche Friede und die Wohlfahrt des Staates es je erfordern, dass einem frevlen Menschen Einhalt geboten werde – dies mit Mass und eindringlicher Freundlichkeit geschieht und mit der aufrichtigen Erklärung, zur Nachsicht bereit sei man eher einem zu schroff strafenden Menschen als einem stummen Hund gegenüber, wie der Prophet einen nennt, der zu den Lastern still schweigt.

Wir wollen damit nicht gesagt haben, das Pochen und Trotzen grober Leute gefalle uns. Aber weil die Wahrheit beisst und je und je ihre Schärfe hat, und ein armer Pfarrer in die Lage kommt, heraufkommender Wirrsal, die andere noch nicht voraussehen und nicht wahrhaben wollen, begegnen zu müssen, ist es nötig, dass Euer Gnaden im Annehmen der Strafe und unzeitiger Warnung langmütig und nicht, wie man zu sagen pflegt, zu kurz angebunden sind, vorausgesetzt, es fliesst nicht offensichtliche Falschheit und Böswilligkeit mit ein: Auf ihr steht recht und billig Strafe. Ihr werdet da schon wissen, wie euch verhalten.

Wir bringen jetzt die Sprache vor allem auf *unsre* Besserung. Darüber das folgende.

KAPITEL 31

Worin das Volk in erster Linie zu ermahnen und zu strafen sei

Christus kann man nicht lehren, ohne dass man die Irrtümer und Laster aufzeigt und straft und die Leute zur Erkenntnis und einer aus warmem Herzen kommenden Frömmigkeit anhält. Das soll beim Strafen und Ermahnen das vornehmste Anliegen sein.

Was wir jedoch hinsichtlich der äusseren Belange meinen sagen zu sollen, bringen wir im folgenden Punkt zum Ausdruck.

KAPITEL 32

Dass Gehorsam gegenüber der Obrigkeit zu predigen ist, sowie von zeitlichem und geistlichem Regiment

Von Natur aus sind die Untertanen ihrer Obrigkeit und die Armen den Reichen gegenüber aufrührerisch, ungehorsam und widerspenstig. Zwietracht aber ist das pure Gegenteil von christlicher Liebe, dieser Erkennungs- und Unterscheidungsfarbe der Christen gegenüber der verderbten Welt. Weil dem so ist, hat man in erster Linie geflissentlich darauf zu sehen, dass eine zeitliche Obrigkeit ihrem Gewicht gemäss, das sie, als von Gott eingesetzt, hat, eingeschätzt und dem Volk vor Augen gestellt wird als eine mit göttlicher Befugnis ausgestattete, die zu respektieren ist, auch um des Gewissens willen (Röm. 13). Denn obgleich ein Christ ein Wesen bleibt, das der Kreatürlichkeit unterworfen ist, hat doch in der Apostelkirche der Irrtum einreissen können, dass die frommen Leute meinten, es gehe sie, weil ihre Heimat himmlisch sei und sie keine bleibende Stadt auf Erden haben, sondern gespannt auf die zukünftige warten, das, was die zeitliche Obrigkeit unternehme, nichts an, und sie hätten nichts mit ihr zu tun. Das hiess aber, die Ordnung Gottes auseinanderreissen, die unter den Menschen zweierlei Regiment führt. Das höhere, grössere ist geistlich und himmlisch: Es ist dasjenige, in dem Christus, dem allein die Ehre zusteht, durch seinen Geist Alleinherr ist, und das nach aussen die Diener des Geistes, die rechten christlichen Prediger, beauftragt.

Das kleinere, geringere Regiment ist zeitlich: Es ist dasjenige, in das unsere Gnädigen Herren und andere Obrigkeiten landauf, landab von Gott eingesetzt sind. Der Christ gehört unter beide: nach seinem Gewissen unter das geistliche, mit dem keine sonstige Kreatur etwas zu tun hat, Gott allein ist sein Richter; aber nach seinem Leib und Gut gehört er unter das Schwert und die äusserliche Verwaltung. Ein Christ ist himmlisch, gewiss, aber nicht völlig, solang er die irdische Wohnung, den Leib, der abgebrochen wird, mit sich herumträgt. Drum soll er sich irdischer Ordnung nicht entziehen, wiewohl er ihr täglich entwachsen und je länger je himmlischer werden soll. Denn ein Christ entwächst der Welt und der Obrigkeit durch die Salbung Gottes, das heisst, sein Herz und Begehren hängt je länger je weniger an ihr und allem weltlichen Tun.

Dazu sollen – vorab aus biblischen Geschichten – Beispiele benützt werden, die dartun, wie Gott auch solche, die gegen unbillige Könige ungehorsam waren, gestraft hat, bis er diese dann selber verwarf und absetzte. Das beispielhafte Verhalten Davids gegenüber Saul, den Gott abgesetzt hatte und den, solang er König war, David doch geehrt und verschont hat, ist wohl zu bedenken.

Von Zehnten und Zinsen:
davon, wie sie zu geben und zu nehmen sind

Aus dem Gesagten folgt, dass man es schuldig ist, den ordentlichen Zehnten zu geben. Denn das ist eine äussere Ordnung und geht nicht gegen die Liebe. Das ist ja mit Händen zu greifen in der Geschichte Josephs, der ganz Ägyptenland zinsbar machte, so dass sie dem König von allen Gütern den Fünften abliefern mussten, und ist des weiteren am dreizehnten Kapitel des Römerbriefs zu veranschaulichen. Wirklich gibt es kaum einen gerechteren Zins als den Zehnten, bei dem beide Teile, der gebende und der nehmende, auf den Segen Gottes abstellen und nehmen und geben müssen, wie es gewachsen ist, zu gleichem Gewinn und gleichem Verlust.

In Sachen Zins kommen etwa Unmässigkeiten vor. Da ist die Obrigkeit zuständig, Remedur zu schaffen. Die Pfarrer sollen sich nicht so bald in so etwas einlassen, denn es gehört nicht zu ihrem eigentlichen Amt und bringt Veränderung der allgemeinen Landesordnung mit sich, die nicht ohne gründliche Erfahrung und den Weitblick weiser, erfahrener Leute vorzunehmen ist. Es müsste denn schon offenkundige Unbilligkeit vorliegen, wie es sie da und dort in Sachen Korn- und Weinzins tatsächlich gibt. Der Pfarrer soll, sofern dergleichen seine Zuhörer betrifft, diese dahingehend ermahnen, dass es kein Unrecht sei, eine unbillige Abgabe zu leisten, wohl aber sei es Sünde und gottwidrig, eine unbillige Abgabe zu vereinnahmen.

Die einzige Regel, auf die zu achten ist, ist die, dass man im Sinn der Liebe handle und jeder dem andern das tue, was er im gleichen Fall gern und dankbar möchte von diesem empfangen dürfen.

Dabei soll einem ganz klar sein, dass solche Angelegenheiten, wie auch der Kauf und Verkauf der Ware und Handarbeit – etwa des Webers, des Schuhmachers und so weiter – unter die äussere Ordnung fallen, wo sie einigermassen im Sinn der Liebe geregelt werden sollen, und nicht unter das lautere, pure Evangelium, das einzig und allein die Gewissen angeht. Aber im wahren Christentum, das von innenher spontan willig ist, dem Nächsten zu dienen, da leiht man aus ohne Gegenhoffnung, ja, man besitzt eigentlich gar nichts als Eigentum.

Da soll jeder wohl zusehen, wes Geistes Kind er ist, und nicht aus fleischlichem Eifer handeln: nicht äusserlich hingeben, was er noch mit dem Herzen in Besitz hält. Ananias räume vorab das Herz, der Säckel weiss dann schon, was er soll. In diesem Stück waren die armen Täufer auf dem Holzweg, die, weil sie es nicht besser wussten, das äussere Regiment für *ihr* Teil abtun und einander zwingen und nötigen, «Haus, Hof, Weib, Kind, Vater und Mutter zu verlassen» entgegen der Ordnung Gottes, der will, dass wir seiner auf Abruf gewärtig sind und nichts von uns aus unternehmen; dass wir allem voran die Liebe stellen und dadurch Christus Jesus ohne äussern Zwang annehmen, ihn, der aus dem Herzen ins Werk fliesst und nicht von aussen hereinwirkt, wie das bei der mosaischen Praxis der Fall gewesen.

KAPITEL 33

Dass wir zum Einhalten der Mandate unserer
Gnädigen Herren ermahnen und vorab die in unserer
Gemeinde üblichsten Laster strafen sollen

Haben unsere Gnädigen Herren ein Reformationsedikt und verschiedene Mandate und Verbote, christliche Zucht und Sitte betreffend, erlassen, so sollen wir Pfarrer und Prädikanten uns an sie dann auch geflissentlich halten. Wir dürfen auf die Billigkeit solcher Gebote und Verbote hinweisen, die ihre Vorlagen ja schon in den Verboten der Schrift haben. Auch darauf dürfen wir hinweisen, dass bei ehrbaren Heiden Laster wie Ehebruch, Hurerei, Kuppelei, Zutrinken und Sichvolltrinken nie geduldet worden sind, und erst recht nicht, dass man fremden Soldherren zulaufe, um Geld Krieg führe und Witwen und Waisen machen helfe, was gegen alle Vernunft und Billigkeit ist und auch bei den verworfenen Heiden nie für ehrenhaft gehalten worden ist.

Auch sollen wir der Obrigkeit wieder und wieder das Schützen dieser Gebote ans Herz legen und ihr das Amt und die Pflicht, die sie gegenüber Gott hat, in Erinnerung rufen.

Ferner sollen wir Pfarrer über die Lage und Begehrlichkeit unseres Volkes nachdenken und dieses mit unserem Dienst durch Christus auf Gott ausrichten wollen. Es finden sich ja nicht einfach bei jedermann alle Laster. Auch bringen wohl andere Zeiten andere Sitten und Sünden mit sich. Wie es im einzelnen stehe, wird ein jeder aus dem täglichen Umgang und persönlichen Gespräch mit den Pfarrkindern unschwer in Erfahrung bringen. Überall sind jedoch der Ehestand, die Kindererziehung, die brüderliche Vermahnung zur Sprache zu bringen und allgemein dem Fleisch anhaftende Laster wie Untreue, Neid, Hass, Lug und Trug und ähnliche Werke der Finsternis anzuprangern.

In diesen Punkten soll ein jeder mit viel Bedacht, Sachkenntnis und innerem Einsatz am Werk sein.

KAPITEL 34

Von der Erziehung der Jugendlichen;
von der Glaubenslehre oder dem Katechismus

Bekanntlich lernt man recht mühelos und eingehend, was man in der Jugend lernt, während die absteigenden Jahre allem schwerfällig gegenüberstehen. Auch ist es gut, dass man das Joch des Herrn von Kind auf trage, so dass die Christen es den Kindern, die sonst leider in weltlicher Begierde und unter der Gewalt des Teufels aufwachsen, schuldig sind, vor allem sie dem Herrn in seinen Tod darzubringen. Das Gesagte macht die Notwendigkeit der Einrichtung eines Katechismus und einer Glaubenslehre deutlich, wo das einfache Volk und vor allem die herangewachsenen Kinder durch Christus Jesus die Gottesfurcht und die Liebe zu Gott lernen sollen. Weitläufiges Heranziehen der Schrift kann dabei unterbleiben, das Wesentliche dem Apostolischen Glaubensbekenntnis und dem Unservater, worüber diverse Büchlein erschienen sind, entnommen werden.

Am meisten würde freilich dann herausschauen, wenn wir unsere Mühe darauf konzentrierten, dass Christus vorab in unserem eigenen Herzen aufgehe und lebe: Unser Feuer würde dann bald einmal auf die zarten Gemüter der Kinder übergreifen. Alles übrige – das, was die Vernunft aus den Büchern bezieht und andern Leuten beibringt – ist und bleibt so lang Menschenwerk, als nicht der Meister, der Heilige Geist, selbst zum Wirken kommt: der Schöpfer, Erneuerer und Bringer der Wiedergeburt zum himmlischen, ewigen Leben.

Wir haben es auch für nötig erachtet, dass wir das ganze Verständnis für Christus und das Handeln Gottes dem Apostolischen Glaubensbekenntnis entnehmen und den einfachen Leuten klarmachen, wie das rechte Gebet ganz und gar und deutlich und ausführlich in den Worten des Unservaters beschlossen ist, so dass dieses alle Psalmen und die Kirchenvätergebete aller Zeiten übertrifft.

KAPITEL 35

Von den Zehn Geboten

Gewiss, zu lebendigem Erkennen und Bereuen der Sünde führt das Leiden und Sterben Jesu Christi. Trotzdem ist es gut und vernünftig, wenn die Kinder die Zehn Gebote kennenlernen. Diese sollen ihnen von den Pfarrern in der Glaubenslehre zu Fragen an ihr Herz gemacht werden, wie das der Herr in der Bergpredigt getan hat (Matth. 5, 6 und 7). So mag die Jungmannschaft in ihrem Herzen, auf dem der gewaltige Blick Gottes ruht, von Herzen mit Gott umgehen lernen.

Aber wollte der allmächtige Gott, dass die Alten keine Hemmungen hätten, solchen Glaubenskundeunterricht seelenruhig mit den Kindern zusammen, in ihrer Mitte, mitzumachen, damit wir eines Tages auch wirklich rechte Christenmenschen würden, die die Sache nicht mit blossen Worten abtun!

KAPITEL 36

Vom Glaubensbekenntnis, vom Unservater und von den Zehn Geboten

Das, worum es im Glauben geht, liegt klar und bündig in diesen drei Stücken vor: Glaubensbekenntnis, Unservater und Zehn Gebote.

Das Glaubensbekenntnis macht mit Gott und Christus bekannt und zeigt die Ankunft, das Wachstum und die Vollendung der Gnade und des Lebens.

Das Unservater ist das eigentliche Christengebet und der Wasserkrug oder -eimer, mit dem diese Gnade aus dem Gnadenbrunnen – Jesus Christus – geschöpft und ins Herz gefasst wird. Denn «wer da bittet, der empfängt», und ohne das Gebet erfolgt das Angebot der Gnade umsonst. Das Gebet schliesst das Herz auf und macht es weit, damit es die Gnade zu empfangen und zu fassen vermöge.

Die Zehn Gebote aber sind eine äusserliche Übung, die das Fleisch demütig machen, ihm helfen will, noch besser über seine Sünden nachzudenken und ihrer eingedenk zu bleiben. Doch müssen diese, soll es ein erspriessliches Erkennen der Sünde sein, vorgängig in und aus Christus verstanden worden sein. Wer die Gebote bedenkt, soll zugleich bedenken, dass um dieser seiner Sünde willen Gott den unschuldigen Christus zum Sterben verordnet hat.

So sind das Glaubensbekenntnis, das Unservater und die Zehn Gebote die Bibel der Laien und Kinder. Sie sind eine Zusammenfassung des ganzen Christentums. Es ist wahr, mit den Sakramenten – Taufe und Abendmahl – sowie mit dem Wort der Ermahnung braucht man die Kinder und die einfachen Leute nicht zu belasten. Was die Sakramente tun, ist ja, der gläubigen Seele das Geheimnis – Gott im Menschen – vortragen und in Erinnerung rufen. Im besten Fall mögen sie den Kindern behilflich sein zu weiterem Verständnis dieses Christus, der unser ein und alles ist und sich mit all seiner Kraft und Wirkung in den erwähnten drei Stücken aufs angemessenste ausgedrückt findet.

Man soll nur nicht das Tun Gottes dadurch, dass man zuviel Worte an es wendet, so schwierig machen, dass der fromme Laie daran verzweifelt und den Eindruck bekommt, es sei unmöglich, dieses verstehen zu lernen. In diesem Zusammenhang gilt es sich der herrlichen Stelle zu erinnern, wo der Sohn bekennt, dass diese unbegreifliche Gnade der Weltweisheit verborgen und den Geringen und Unmündigen offenbart ist. Drum sollen wir uns den einfachen Leuten anpassen und, soweit immer möglich, ihnen uns verständlich machen. Es soll nicht so sein, dass ein jeder aus seiner Erkenntnis neue Glaubensartikel fabriziert.

KAPITEL 37

Vom Leben und der Frömmigkeit der Prediger und Pfarrer in der Gemeinde

Noch immer gilt das Prophetenwort: «Wie der Priester, so das Volk, und wie das Volk, so der Priester.» Denn wenn es Gott mit einem Volk gut meint, schickt er ihm fromme Propheten und getreue, weise Austeiler der Geheimnisse Gottes, wodurch dem ganzen Volk Heil widerfährt. Drum soll das Volk, wenn es mit uns nicht so versehen ist, wie es sein sollte, die Schuld sich selbst zuschreiben. Ebenso haben wir uns, wenn unser Volk so ungezogen, störrisch und der Wahrheit ungehorsam ist, über niemanden als uns selbst zu beklagen: Wir haben das, was unsere Sünden verdienen. Wären wir fleissige Ackersleute und Gottesgehilfen, so gäbe es überall fruchtbare Herzen, denen die Gerechtigkeit Gottes entspriesst. Drum liegt es in eines jeden Interesse, dass er die Eigenschaften aufweise, die Gott bei den Richtern unter Mose zur Bedingung macht. Diese sollten nämlich «weise, verständig und bei den Stämmen bekannt sein, beherzte, wackere Männer, gottesfürchtig, wahrheitsliebend und dem Geiz abhold». Diese Gaben und Gnaden sollen auch bei uns wahrzunehmen sein. Denn Diener der Gemeinden, wie jene im zeitlichen Reich Gottes gewesen sind, sind wir im himmlischen. Da soll doch unsere Wirklichkeit in Christus von nicht geringerem Gewicht sein, als es ihr Schatten- und Vorbild unter Mose gewesen ist.

Wir denken dabei aber an Weisheit und Verstand, wie sie aus dem Kreuz Christi fliessen, und an ein Bekanntsein und In-Gunst-Stehen bei den Gläubigen, wie es einem nicht Fleisch und Blut, sondern die Früchte des Geistes und die Werke der Liebe eintragen. Denn Paulus «kennt niemand mehr nach dem Fleisch». Nicht anders sollen auch wir und unsere Gemeinden es halten; sie und wir sollen nicht fleischliche Mentalität kennen.

So legt man denn Wert nicht auf kühnes Händeverwerfen und Mundwerk, sondern auf beharrliche Geduld und tätige Liebe, dieses Kind eines ungefärbten Glaubens, der die Wahrheit in Person, Christus, mitbringt und allen Geiz, ja, alle Begierden des Herzens, ausschliesst. In diese Richtung geht auch die Ermahnung des Petrus: «Weidet die Herde, bereitwilligen Gemüts, nicht als solche, die über das Erbe herrschen, sondern werdet Vorbilder der Herde» (1. Petrus 5). So hat es Paulus gehalten, der, soweit es die Christusnachfolge betraf, auf sein eigenes Vorbild und gutes Beispiel hingewiesen hat. Auf ein ähnliches Beispiel unsrerseits zu sehen, soll das Volk ermahnt werden. Freilich müssten dann bei uns Lehren und Tun sowie Herz, Mund und Hand nicht getrennte Wege gehen. Leider ist uns da noch ziemliche Zurückhaltung geboten, indem wir in geistlichen Dingen und christlichem Tun noch nicht allzu viel Erfahrung haben. Aber wenn wir unserem kirchlichen Amt recht vorstehen und wir und unsere Familien besonnen, fromm und ehrbar dastehen, wird unser Beispiel der Besserung dienen.

Über unser Amt wollen wir zunächst das folgende ausführen.

KAPITEL 37 (a)

Wie die Pfarrer «studieren», die Schrift lesen sollen

Die Heilige Schrift kann, wie gesagt, «unterweisen zur Seligkeit durch den Glauben an Christus Jesus. Denn alle Schrift, von Gott eingegeben, ist nütze zur Lehre, zur Strafe, zur Besserung, zur Züchtigung in der Gerechtigkeit, dass ein

Mensch Gottes sei ohne Mangel, zu allem guten Werk geschickt». Drum kommen wir nicht um ein emsiges Bibellesen herum. Dessen ordentlicher Anfang ist das Gebet *vor* dem Griff nach der Bibel. Dieses Gebet soll wirklich Gebet sein, geistlich sein. Im Gebet des Geistes pflegt der Heilige Geist den Beter zunächst ins Danken zu treiben: Voller Liebe dankt er Gott für empfangene Wohltat, aus welcher Trost und Glaubensstärke wächst. Nachher drängt er ihn zum Bitten, der Herr möge auch fortan von uns nehmen, was uns just an Not, Mangel und Unweisheit ungut drückt. Daraus entsteht ein inbrünstiges Verlangen, das der Herr Hunger und Durst nach der Gerechtigkeit nennt. Ihm folgt je und je das Satt-, ja, Seligwerden.

So ist das Gebet offensichtlich ein Leer- und Bereitmachen des Herzens: Erst jetzt vermag einer dem im Buchstaben verborgenen Sinn und Ratschluss Gottes Gefäss und Behälter zu werden. Hält man's anders, so gewöhnt man sich daran, die Heilige Schrift ohne Andacht wie ein weltliches Geschichtsbuch zu lesen, an dem man nur die Vernunft übt. Solches Bibellesen gebiert dann eben bloss eine aufgeblasene fleischliche Weisheit, die nachher der armen Gemeinde als Weisheit aus Gott, aus dem Gotteswort, aufgeschwatzt wird. Wohlweislich heisst es drum im Jakobusbrief: «Wenn jemandem unter euch Weisheit mangelt, der bitte Gott, der da gern gibt...» (Jak. 1).

Jetzt, nachdem ein bussfertiges, dürstendes Herz sein Gebet verrichtet hat, soll das Buch aufgeschlagen und gelesen werden: als Gottes Wort, das es ja *ist,* und nicht als Menschenwort. Man soll dabei im betenden Verlangen von vorhin weiterbeharren, bis sich's zeigt, dass ein Schuss göttliches Verständnis von oben herab einfliesst. Dieses soll den Leser binden und empfänglich machen. Augenblicklich soll ihm in den Sinn kommen, es rede in ihm der Heilige Geist zu seiner Strafe und Besserung. Das heisst, alles Kreatürliche soll ausgeschieden sein, es soll beim Leser ein freier Vorgang sein einzig zwischen ihm und Gott, entblössten, ergebenen Gemüts; bekümmern soll er sich nicht darum, was zum Volk zu sagen sei, nur darum, dass er noch und noch von Gott Licht und Erkenntnis bekomme für sich selber.

Es kann vorkommen, dass andere Schriftstellen oder frühere Glaubenserfahrungen dem jetzigen Verständnis des Lesers zu widersprechen scheinen. Solche Widersprüche soll er aufgreifen, er soll bitten um ihren Ausgleich. Auf dieser Gewohnheit gilt es beharrlich zu bestehen, bis die Wahrheit des betreffenden Schriftworts dem Herzen durchaus einleuchtet. Ein gelassenes Danksagen und fleissige Betrachtung der empfangenen Erkenntnis mag das Weitere sein.

Hinterher wollen die zeitgenössischen und ältern Bücher und Kommentare vorgenommen und mit unserem gewonnenen Verständnis verglichen sein. So vermag man sie richtig, cum iudicio (mit Verstand), zur Besserung, zu lesen. Ach, wie freut sich einer, wenn er feststellt, Gott hat ihm auch etwas gegeben in Übereinstimmung mit den Gaben anderer Leute, oder gar etwas, was andere noch nicht bekommen haben! Nicht, dass er sich's in den Kopf steigen lässt. Hat er es doch von Gott erbeten und weiss wohl, was es nach sich zöge, wenn er plumpem Ehrgeiz verfiele.

Empfehlenswert ist auch das *Aufzeichnen* der Gedanken und ihr Vergleichen mit später neu Hinzugedachtem. Denn auf dem Gottesweg will fort und fort gestritten sein. Und ohnehin ist es wegen der Schwäche des Gedächtnisses und der Ungewissheit der Folgezeit nützlich, an Gedanken einiges im Vorrat zu haben. Dieser Brauch macht unser Herz Gott dem

Herrn zu einer Rüstkammer, in der solche geistlichen Waffen gegen die listigen Anfechtungen des Teufels insgeheim eingelagert sind.

KAPITEL 38

Dass man freundschaftlich miteinander die Schrift vergleichen soll

Eine grosse Hilfe könnte es da bedeuten, dass wir uns gern zur Aussprache, zu gemeinsamem Vergleichen der Schrift und unsres Verständnisses derselben bereitfinden, vorab ein jeder mit seinem Nachbarn, der ebenfalls gottesfürchtig ist und begierig, in der Erkenntnis unsres Herrn Jesus Christus weiterzukommen. Dasselbe gilt von unsrem Reden samt und sonders, unsrem Freundesgespräch mit allen Menschen: Es sollte das Wort von Leuten sein, deren höchstes Anliegen die Ehre Gottes und das Reich Christi ist. So war es bei den Alten Brauch, so haben's in unsrer Zeit beim Übergang zum Evangelium auch wir aufs geflissentlichste gehalten: Wir diskutierten mit jedermann über unser Evangelium, gegen den Papst. Doch ist sehr darauf zu achten, dass wir nicht bissig und jähzornig sind, auch nicht stur, nicht Leute, die ihre eigene vorgefasste Meinung verfechten und behaupten wollen. Denn wer bei einem andern etwas von Christus und seiner Gabe findet, der soll, und sei es noch so wenig, Gott dafür danken und behutsam vorgehen, um dieser Gabe ans Licht zu helfen und nicht die Geister auszulöschen. Durch solche Behutsamkeit kommt ein gelassenes Herz zu reicher Erfahrung göttlichen Wirkens. Auch fördern diese Gespräche unser Geschick, mit unsern Untertanen und den «Widersprechern» zu verhandeln. Wenn Kinder Gottes das tun, folgen sie ganz sicher nicht der Art und Weise, wie in zeitlichen Händeln Fleisch und Blut seine Widersacher umstösst.

KAPITEL 39

Wie die Predigt vorzubereiten ist

Wenn man predigen will, pflegt man geschriebene Predigten oder Kommentare zu lesen und breitzuziehen, bis man Stoff genug hat, um eine Stunde umzubringen – und mit der Frage, was für die Kirche unserer Tage aufbauend ist oder nicht, beschwert man sich wenig. Daher kommt es, dass man so wenig ausrichtet, was vor Gott Bestand hat. Wir sollen und wollen einander gern dazu anhalten und darin fördern, dass ein jeder selber die Schrift meditiere und sie in der erwähnten Art auslege zu seiner eigenen Besserung, und dass er sich nachher vergegenwärtige, wie seine Kirche dasteht, um seinen Verstand dann von ihren Erfordernissen leiten zu lassen und ihr beispielsweise nicht den zehnten Teil von dem zu sagen, was ihm Gott über dem und dem Schrifttext eingegeben hat. Denn

111

alles soll zur Besserung der Gemeinde geschehen, und weil wir von ganzem Herzen nichts anderes suchen sollen als Gottes Ehre im Heil der Kirche durch Christus, gilt es hier nicht seine Kunst zu demonstrieren und zu zeigen, wie geistreich man ist.

So wird es nicht nötig sein, weitläufige Regeln vorzuschreiben. Die Wahrheit selber steht in den Herzen geschrieben und wird von der Liebe Gottes ausgeteilt. Wo das geschieht, wird niemandes Fleisch verschont, niemand grundlos bitter verhöhnt. Es wird das anwesende Volk erbaut, die draussen werden Gott befohlen; und es wird nicht so viel Gezänk angerichtet, wie dies leider jetzt da und dort der Fall ist. Es war schon im vorhergehenden davon die Rede – Gott wolle das bei uns allen bessern. Amen.

KAPITEL 40

Weltliche Bücher – mit Mass zu lesen

Immerhin mögen auch weltliche Bücher, namentlich Historien, gelesen werden, kritisch und wählerisch, und im Bewusstsein, dass sie die Vernunft schulen und Licht auf die Fleischeslust werfen wollen, aber im wesentlichen weder der Besserung unseres eigenen Herzens noch der Förderung der Gemeinde dienen können. Drum soll alle Lehre, Mahnung, Strafe und Besserung vom Geist Christi und der göttlichen

Schrift bezogen werden. Kommt es doch vor, dass man auch mal kurz eine heidnische Geschichte heranholt, so haben wir nichts dagegen und hoffen einfach, es werde ein jeder sich dessen bewusst bleiben, dass er Haushalter des Geheimnisses Christi und Diener seines Geistes sei und sich mehr der geistlichen als der fleischlichen Schrift bedienen wolle.

Die Pfarrer im Land herum sind zwar leider nicht allzu lesehungrig. Trotzdem haben wir diese Warnung hier nicht für unangebracht gehalten.

Wie die Predigt vor sich gehen soll

Die Predigt soll mit grosser Herzlichkeit und inbrünstiger Liebe zu unsern Zuhörern daherkommen, zur Besserung und Erbauung in Gott, wie sie bei Frommen stattfindet. Genauso hören nämlich die Schafe Christi die Stimme ihres Herrn, des wahren Hirten. Den erkennen sie, dem folgen sie nach, wogegen sonst die sanften Herzen mit grob unwirschem Dreinfahren erbittert und verwüstet werden und unsre Predigt nur neidische Hasser und aufrührerische Schädlinge züchtet. Womit aber keineswegs zum Ruhmesblatt gemacht sein soll, was höchst verwerflich ist: dass ihrer sind, die nie den Fuchs beissen wollen und vorsätzlich mehr das reden, was man gern hört, als das, was aufbaut. Diesen ist der Spruch zugedacht: «Wenn ich den Menschen zu gefallen begehrte, wäre ich nicht Christi Diener.»

KAPITEL 41

Dass man alle Predigttage einhalten soll

Unsere Gnädigen Herren haben im Reformationsmandat befohlen, jeder Pfarrer solle am Sonntag, Montag, Mittwoch und Freitag predigen; aber wir haben uns dann und wann mit der Ausrede entschuldigt, wir könnten keine Zuhörer bekommen. Da wird denn für gut befunden, dass sich jeder bemühen soll, die genannten Predigttage nach Möglichkeit einzuhalten, und wäre es gleich so, dass nicht mehr als ein oder zwei Menschen zuhören. War es dem Herrn nicht zu viel, mit dem einen samaritischen Weiblein beim Brunnen zu reden, wie sollte es da einem Diener Christi zuviel sein, auf Erden auch vor geringsten Personen von seinem Herrn zu reden ihm zur Ehre! Ist ja bei Gott kein Ansehen der Person und zählt bei Gott eine gläubige Seele mehr als alle Welt. Es dürfte solches Reden am Werktag, statt oben auf der Kanzel, auch unten geschehen, und zwar möglichst einfach. Dass wir's aber so gern bleiben lassen, zeigt nur, wie herzwenig uns an Gottes Ehre gelegen ist und dass wir mehr auf den grossen Haufen als aufs kleine Häuflein und die frommen Herzen sehen, denen wir immer sollten forthelfen wollen. Daneben gibt es viele Brüder, denen das tägliche Predigen recht ist. Ihren Fleiss müssen wir rühmen; er ist das Zeichen für einen guten Eifer.

Nun gibt es auch viele Pfarrer, zu deren Kirche mehr als ein Dorf gehört. Da wäre es doch sehr nötig, dass unter der Woche dem armen Volk in den andern Dörfern gepredigt wird und einer ab und zu am Sonntag zwei Predigten hält. Das will in den Pfarrkapiteln besprochen sein; denn die Dinge liegen nicht überall gleich. Doch soll niemand einen fleissigen Pfarrer in seinem Amtieren zurückbinden dürfen. Es ist ja doch die Schuldigkeit eines jeden Christen und vorab der Pfarrer, den Irrenden zu belehren. Und wir sind von der Gewissheit durchdrungen, wie fruchtbar es ist, wenn man sich mit Gebet und Herz einem frommen, lieben, einfachen Menschen zuneigt und ihm sein Heil durch Christus anzeigt. Tut man es nicht, so geht er in seiner Unwissenheit leider zugrunde, und sein Blut wird von den Händen des Pfarrers gefordert werden, der als ein falscher Hirte das beinbrüchige Tier nicht verbindet.

KAPITEL 42

Dass man das Einzelgespräch mit den Untertanen suchen soll

Da es unsere Schuldigkeit ist, nichts unversucht zu lassen, um das Volk ganz und gar zu Gott zu führen, genügt es nicht, dass wir in der Pfarrkirche oder in allen Dörfern, für die uns das Gewohnheitsrecht verantwortlich macht, öffentlich predigen. Nein, mit allem erdenklichen Fleiss sollen wir auch von Haus zu Haus unsere Untertanen einzeln im Weg der Seligkeit unterrichten und ihnen die Busse verkündigen. So haben's unsere Vorfahren, die Apostel, getan. Denn Belehrung von Mann zu Mann geht viel besser zu Herzen als das, was an jedermanns Adresse öffentlich geredet wird.

KAPITEL 43

Vom Krankenbesuch

Das vornehmste Amt ist das Trösten der Betrübten. Drum sollen wir Pfarrer alle und Seelsorger zu Stadt und Land alles dranwenden, dass wir zu den Kranken kommen, solang sie noch bei Bewusstsein und Verstand sind, und nicht warten, bis sie in den letzten Zügen liegen. Und es soll beim Ermahnen der Kranken nach folgender Ordnung vorgegangen werden.

Zuerst sollen wir die Kranken an die göttliche Gnade durch Christus erinnern, der in den Nöten bei den Seinen ist und sein will. Wir sollen ihnen zeigen, wie die wahren Christen allen Ernstes auf das Kommen ihres Herrn und auf die Auflösung oder Abberufung aus dieser Zeit warten. Vermögen sie in ihrem Innnern nichts von diesem Warten vorzufinden, so sollen sie getröstet und auf die Busse hingewiesen werden, damit sie, bussfertig, ihre Eigenliebe und Glaubensschwäche erkennen und den Herrn um Mehrung des Glaubens bitten lernen. Sie sollen von uns, die wir Zeugen der Wahrheit Gottes sein sollen, nicht zu einem falschen Vertrauen verleitet werden.

Nachher sind die Umstehenden zu ermahnen, sie möchten in den Schmerzen und Fährnissen des Kranken auch ihr eigenes Gefährdetsein bedenken und auch ihrerseits Gott in der Wahrheit fürchten, weil alles fleischliche Vertrauen ja ganz und gar eitel und ungewiss sei. Sie möchten bedenken, was für ein Trost es in solchen Nöten sei, einen gnädigen Gott und Christus, den Sohn Gottes, zum Verteidiger und Fürsprech zu haben, wie ihn uns Busse und Besserung unseres Lebens und ein echter Glaube an Christus verschafft. Und dass auch viele, die mit den törichten Jungfrauen zusammen den Bräutigam versäumen, übereilt werden usw.

Nachher soll man miteinander niederknien und für den Kranken um Gnade bitten sowie über *seiner* Not ein ernstliches Gebet tun um den Beistand der Gnade auch in *unserem* gegenwärtigen und künftigen Übel. Gut ist auch, wenn man ein paar Schriftstellen vom Leiden und Auferstehen Christi aus Paulus oder den Evangelisten und den andern Aposteln liest und durch ein erklärendes Wort verlebendigt usw.

Diese Amtshandlung ist oft nützlicher als zehn Gemeindepredigten ohne sonderliche Aufmerksamkeit der Zuhörer. Ist es doch so, dass die Not sie alle angeht und sie alle nach Trost verlangen. Diesen findet man, ist man an aller zeitlichen Hilfe verzweifelt, nirgendwo sicherer als im Herrn Jesus Christus.

So weit vom Amt der Seelsorger; davon, wie sie diesem vorstehen sollen.

KAPITEL 44

Von der Lebensführung, wie sie die Pfarrer von sich selbst und ihrer Familie verlangen sollen

«Wer das Gebot *tut* und lehrt, *der* wird gross heissen im Himmelreich.» Nicht Hörer, sondern Täter des Gesetzes gelten bekanntlich als gerecht. Umgekehrt halten's die Pharisäer:

Die haben wohl das rechte *Reden* von Mose und laden der Gemeinde schwere Bürden auf, die sie aber nicht mit dem kleinsten Finger anrühren. Dergleichen sei uns Apostelnachfolgern ferne. Nein, als Prediger des Christuskreuzes sollen wir in unserem Leben zum Tode den Tod Christi herumtragen und durch ein himmlisches Leben beweiskräftige Zeugen der Christusauferstehung sein. Das sind wir aber nicht, wenn wir auf diese Welt abstellen nicht anders als andere, die nur eben fleischlich gesinnt sind. Unsere Wohnung sollen wir als mit Christus Auferstandene im Himmel haben. Dadurch lenken wir die Nachdenklichkeit unserer Gemeinden immer wieder auf alles, was «wahrhaftig, redlich, gerecht, keusch, lieblich und löblich ist»: auf das, was sie von uns lernen, empfangen, hören, uns abgucken können sollen. Dann werden wir froh vor den Richterstuhl und vor Christus, unsern Herrn, treten und für unsre Amtsführung an seinem Tag Ruhm ernten dürfen. Der heilige Paulus hat wohl gewusst, warum er seinem Jünger Timotheus vorschrieb, was für Leute er zu Bischöfen, das heisst zu Pfarrern, machen solle.

«Es soll», sagt er, «ein Bischof unsträflich sein, Mann nur *einer* Frau, nüchtern, besonnen, gesittet, gastfrei, lehrhaft, nicht trunksüchtig. Er soll keine böse Zunge haben, nicht auf schändlichen Gewinn aus sein, sondern ein billiges, gelindes Benehmen zur Schau tragen. Er soll nicht streitsüchtig, nicht geizig sein, soll seinem eigenen Haus recht vorstehen, gehorsame Kinder haben als unbedingte Respektsperson.» Über einige von diesen Eigenschaftswörtern wollen wir ein paar Gedanken zusammentragen, die übrigen einem jeden sonst zu ausführlicher Betrachtung empfehlen.

«Unsträflich»: Unser Wandel – unser Gehn und Stehen, Tun und Lassen, unser Wort und Werk – soll ehrbar sein. Mit inbegriffen ist da der gute Eindruck, den wir mit unsrem Äusseren machen. Es will uns deshalb richtig scheinen, dass wir, ohne uns damit über die Gemeinde zu überheben, doch anständig gekleidet seien und zwischen einem Metzgerknecht und einem Vorsteher des Worts in der Kleidung ein Unterschied bestehe. Denn Leichtfertigkeit in dieser Beziehung zeigt ein geringschätzig-leichtfertiges Gemüt an. Unsere Herren verbieten geschlitzte Kleider. Wenn aber die Pfarrer, die mit dem guten Beispiel vorangehen sollten, die denkbar leichtfertigsten Kleider anhaben, wie kann das «unsträflich» sein? Wenn wir das sagen, dann nicht, weil wir Freude an pharisäischer Gleisnerei hätten, sondern weil der Mittelweg das Richtige ist. Ihn soll man sich getreulich recht sein lassen.

«Mann *einer* Frau». Paulus meint das als Zeichen für ein keusches, reines Gemüt, verheiratet oder nicht. Denn ihm steht der Brauch der Juden vor Augen, die seinerzeit mehr als eine Ehefrau hatten. Das liess den Anschein eines unkeuschen Gemüts aufkommen und zog im übrigen viel Mühe und Arbeit nach sich. Denn im Ehestand hat man viel «Trübsal durchs Fleisch». Trotzdem schlägt Paulus dem Bischof eine Frau nicht ab. Diese gehört aber zur «Hausehre», und auf sie trifft, wenn er zur Frau eine Schwester hat, die gleich ihm aufs Kommen unseres Herrn Jesu Christi wartet, das Wort vom Sichsorgen um das Weltliche, oder «wie er der Frau gefalle», nicht zu. Aber nun das: Mann nur *einer* Frau soll er sein, damit sein Lebenswandel keusch sein könne. Nun ist uns in unseren Reihen kein Fall bekannt, wo das äussere Tun zu Wünschen Anlass gäbe. Wohl aber haben wir uns unsere Gedanken darüber zu machen, wie garstig und schlecht es uns ansteht, leichtfertige Witze und Zoten im Munde zu führen oder auch nur dabei zu sein, wenn andere sich mit Schandreden wie solchen von Hurerei, Ehebruch und Jung-

119

fernschwächen begeilen. Denn das ist ein Jasagen zum Argen, das schwerer wiegt als die Tat selbst. Wie soll das heilige Wort in hohem Ansehen stehen dann, wenn wir mitunter so leichtfertige, liederliche Reden führen oder lachenden Mundes sie gern von andern mit anhören?

«Nüchtern» sollen wir sein. Denn was für ein Anblick wäre das, wenn wir zur Unzeit in den Wirtshäusern mit liederlichem Volk beim Wein sässen – als ob unser Amt nichts weiter wäre als Essen und Trinken.

Doch haben wir nicht im Sinn, uns weiter über diese Dinge auszulassen. Wo das Kreuz Christi ins Herz kommt, ist allem übrigen bald geraten. Vorab aufs Kreuz geschaut und einstweilen allen groben Lastern kräftig der Laufpass gegeben! Dann dürfen wir auch wohl weiterkommen und in die höhern geistlichen Dinge hineinwachsen, die alle Zucht und Tugend im Gefolge haben. Das ist das Ziel, auf das dieser ganze Synodus ausgerichtet ist. Gebe Gott, dass wir ihm nachleben. Amen.

Damit uns nun diese Einübung im Christlichen etwas Bleibendes werde, soll jedes Jahr auf den 1. Mai eine Synode aller Stadt- und Landpfarrer abgehalten werden, an der man auch den Inhalt dieser Schrift auffrischen soll. Ausserdem wollen wir, vorausgesetzt, dass das unsern Gnädigen Herren recht ist, jährlich zwei Pfarrkapitel abhalten und uns da ebenfalls das vornehmen, was zu unsrer und der Gemeinden Erbauung dient, um daraufhin mit unsern Gnädigen Herren weiterzuberaten und zu Entschliessungen zu kommen.

Aber zum Schluss bitten wir, der allmächtige Gott möge uns behüten und das, was er uns in diesen sechs Tagen so gnädig mitgeteilt hat, mehren, damit der Rest unseres Lebens ganz auf seine Ehre und die Besserung der armen Gemeinden ausgerichtet werde.

Diese Synode hat angefangen am 9. und aufgehört am 14. Januar dieses Jahres 1532.

Notiz des Übersetzers

Das Hauptverdienst, den Berner Synodus in zeitgenössisches Deutsch gebracht zu haben, gehört nach wie vor Professor Albert Schädelin. Bewundernswerte Arbeit hat Professor Henri Meylan mit seiner französischen Übersetzung geleistet. Er hat vorab die Fassung Schädelin benützt, aber auch aufmerksam den Urtext mitgelesen und ist diesem in mancher Nuance und Wendung noch nähergekommen.

Die vorliegende Neuübersetzung ist am Urtext orientiert und unter ständiger Befragung von Schädelin und Meylan erarbeitet. Wertvoll und sehr dankenswert waren dabei die zahlreichen Auskünfte des Germanisten Professor Hubert Herkommer, Bern.

Markus Bieler

Inhalt